PERTURBADO

AGENTES DEL FBI JULIA STEIN Y HANS FREEMAN Nº 2

RAÚL GARBANTES

Producción editorial: Autopublicamos.com
www.autopublicamos.com

Diseño de la portada: Giovanni Banfi
giovanni@autopublicamos.com

ISBN: 978-1-922475-04-6

Página web del autor:
www.raulgarbantes.com

amazon.com/author/raulgarbantes
goodreads.com/raulgarbantes
instagram.com/raulgarbantes
facebook.com/autorraulgarbantes

MIEDO EN LOS OJOS
RAÚL GARBANTES

ÍNDICE

PARTE I

1

Dos personas caminaban en medio del Parque Nacional George Washington y Jefferson en el estado de Virginia Occidental. Se detuvieron junto a una de las mesas cercanas a una caseta abandonada. Una de ellas se sentó y apoyó los codos sobre la madera, pero la otra se quedó de pie, a sus espaldas. Si el hombre sentado hubiera volteado un instante, el horror se habría apoderado de él.

Tal vez, el hombre sentado hubiese podido esquivar el hachazo y, aunque resultase herido, alejarse de la mesa del antiguo comedor exterior, en la terraza de la caseta de hospedaje, e internarse en el bosque en dirección al río, donde sabía que habría gente acampando, pero su destino hubiese sido el mismo porque sus movimientos eran lentos y su andar errático. Caería tarde o temprano.

El agresor lo alcanzaría sin esfuerzo antes de que él estuviese siquiera cerca del complejo de hospedajes del río, o de la cabaña que rentaban montañistas con bajo presupuesto que aspiraban continuar a la estación Snowshoe.

Incluso su agonía podría haber sido peor, porque si el

asesino se veía obligado a improvisar, se tornaba todavía más violento.

Además, el asesino también conocía el bosque como la palma de su mano, ya que diariamente subía a aquel montículo que cortaba la vía de Green Bank y Arbovale para mirar desde allí, desde los claros del bosque y las zonas más altas, el infinito parque George Washington; y elaborar sus planes.

Pero la víctima no volteó en ningún momento, el asesino permanecía de pie detrás, seguía hablándole. No tenía idea de que había caído en una trampa mortal que comenzó a tejerse sobre él varios meses antes. Era incapaz de razonar de manera adecuada debido a lo que le hicieron «los dueños del bosque» y, aun más, incapaz de desconfiar de su asesino.

—Ya no eres ese despojo que querían hacer de ti «los dueños del bosque». Nada de lo que ha pasado es tu culpa —afirmó el asesino, pausadamente, mientras se detenía a sus espaldas con la intención de matarlo.

Mientras tomaba el hacha que dejó oculta tras una piedra junto a la mesa donde se encontraban, pensaba que el idiota se había confiado mucho porque no supo prever el plan que lo llevó a buscarlo y a ponerle esta última trampa allí, en la caseta abandonada del parque, a tres millas de las casas más cercanas del pueblo de Green Bank y a una milla del campamento del río Greenbrier.

—He querido que nos encontráramos aquí, en este lugar abandonado, para que nadie pudiera vernos y poder hablarte sin interrupciones sobre los progresos que has logrado desde que nos conocimos. Todavía recuerdo la primera vez que te vi… y mírate ahora, tan diferente y dispuesto. Estás preparado para dar un paso importante y ayudarme a cambiar a Green Bank y al mundo, para hacerlo un lugar seguro. Así que hoy será un día especial para ti.

—Gracias —le respondió él, arrastrando el sonido de la ese e inclinando la cabeza hacia un lado, mientras sonreía al recordar las conversaciones que mantuvieron allí mismo, escondidos de la gente, y también otras que habían tenido lugar más lejos, a orillas del Greenbrier y al pie de la cordillera de Allegheny.

El hombre se sentía importante, una ráfaga de calor pasaba por su cabeza y las lágrimas comenzaban a correrle por la cara. ¡Era parte de un maravilloso proyecto! Esperaba sentir las manos sobre sus hombros, en señal de afecto, y no tuvo tiempo de darse cuenta de su propia muerte cuando la hoja del hacha pasó rasante y le rebanó el cuello. Solo un segundo antes tomó conciencia de la traición, pero murió inmediatamente.

La sangre que brotó del hombre salió a borbotones hacia el banco donde estaba sentado, inundó la mesa y cayó hasta el musgo junto a sus zapatos. También le salpicó la cara al asesino, y le causó tanto placer que no pudo evitar el impulso de probarla. Inspiró profundo y sintió el olor de las cortezas del bosque, que se mezclaba con el olor de la sangre. Cuando abrió los ojos, se dio cuenta de que hubo un error en la maniobra, porque la cabeza del hombre quedó colgando. Gritó de rabia. Pareció el alarido de un animal en agonía, pero no había nadie cerca que pudiera escucharlo. Estrelló el hacha contra la tierra y luego le dio dos golpes con el zapato mientras apretaba los dientes y sentía los hilos de sangre que le caían en la cara. Unas gotas de ella le entraron en los ojos. Con cólera levantó el brazo y con la camisa se frotó la frente y el rostro para despejarse. Intentaba recobrar la cordura. ¿Pero por qué la cabeza de la víctima no se desprendió por completo, y quedó colgando junto al dorso, del lado izquierdo? Para el asesino, eso era un inconveniente porque sus acciones debían ser perfectas. Él había calculado los movimientos muy bien: la práctica en los trozos de leña, el ejercicio de los brazos, el golpe contundente sin flaquear.

Miró a todos lados, y lo único que veía eran los troncos de los árboles, millares de ramas y hojas que se resistían a caer, y, abajo, otras coloreadas que hacían una alfombra tupida sobre la tierra. Esa soledad lo calmó. Observó con detenimiento el dorso de la víctima, y se acercó para ver el corte que le había hecho. Tuvo recuerdos de su infancia, junto con su padre. Luego escuchó el anuncio que le hizo una lechuza de alas plateadas que volaba rozando la cresta de los pinos y comprendió que debía apurar la retirada, y dejar de regodearse en aquella imagen que le seducía. Se dio la vuelta y miró el cuerpo por última vez.

A menos de un metro de la mesa y del largo banco de madera donde estuvo sentada la víctima había dejado oculta ropa limpia y un estuche para guardar el hacha. Caminó hacia ese lugar y se desnudó. Comenzó a caminar alejándose del cadáver, pisando el musgo verduzco y las hojas rojas y naranjas que rodeaban por completo la terraza destartalada de la caseta abandonada.

Continuó caminando cinco metros bordeando la pequeña edificación y se detuvo junto a un enorme roble blanco. Este árbol era su preferido. Era majestuoso por su tamaño y por el color blanquísimo y brillante de su tronco. Tocó la corteza fría y sintió la aspereza, y sin quererlo dejó un rastro de sangre de sus dedos en el tronco nacarado. Ahora se sentía como el árbol, como el bosque completo e infinito que iniciaba en aquel montículo y terminaba en los montes Apalaches. Inspiró profundo el olor de la naturaleza, que ahora consideraba bautizada con sangre.

Volvió al comedor de la caseta y tomó la ropa limpia que había dejado doblada; y la sintió húmeda, un poco fría. Pensó que la mancharía. Entonces fue hasta una pequeña caída de agua a media milla. Cuando llegó a ella se lavó, bebió un poco y luego se apartó el pelo hacia atrás, mojándolo. Regresó al lugar del asesinato y envolvió la ropa manchada de sangre, tomándola con cuidado, y la metió en la bolsa que llevó con ese fin. Agarró la ropa limpia y se vistió. Luego buscó el hacha, que seguía sobre el musgo, más cerca del cuerpo, y la guardó en el estuche.

Cargando el hacha y la bolsa de la ropa, emprendió el camino de regreso, cruzando por entre la zona de árboles que lo separaban de la ruta de los ciclistas, más allá de una hilera de grandes rocas grises. Iba silbando la canción que le gustaba recordar cuando paseaba por allí. Lo hacía experimentar una sensación de grandeza cruzar por entre los árboles que creía los más viejos del planeta, algunas veces sin atender a los senderos porque había aprendido a abrir los suyos propios. Pensó que tal vez porque era una noche clara el bosque estaba particularmente hermoso. Todavía olía a azaleas. ¿O lo estaría imaginando? Tal vez los olores de la primavera permanecían allí escondidos, resguardados de las visitas molestas. Las creencias de todos le habían sido útiles porque gracias a ellas nadie se internaba a medianoche en esa área del parque. Aquel lugar le devolvía el vigor y la alegría que se le estaban escapando últimamente y le hacía recordar los paseos junto a las cataratas que tanto añoraba, y los campamentos que terminaban felizmente en una comida con pasteles de trigo sarraceno y jamón de campo.

Mientras recordaba esos agradables momentos y reía, se paralizó de pronto porque le pareció ver una luz, como una linterna zigzagueando entre los cipreses. Se detuvo, alerta. Lo que fuera desapareció muy rápido. Pensó que tal vez se debiera a una luciérnaga perdida aquel resplandor. Sobre todo porque había visto la luz suspendida. Continuó con su tonada y alardeando de su buena fortuna, aunque en el fondo intentaba esconder sus temores.

Llegó a donde había dejado la bicicleta, junto al sendero olvidado, detrás de los cipreses y las rocas desde donde podía ver las luces de la carretera. Emprendió el camino de regreso pedaleando a gran velocidad, bajando el montículo. Tenía la convicción de que no encontraría a nadie porque los ciclistas preferían el nuevo sendero junto al río. Una vez en la vía tomó la precaución de mirar si venía algún auto, pues no quería que nadie lo viese. Continuó pedaleando, sentía la fuerza de los músculos de las piernas al compás del movimiento y de la velocidad que era capaz de desarrollar. «La zona silenciosa» finalmente fue lo mejor que pudo pasarle, porque el primer acto de la reconstrucción de Green Bank y del planeta ya estaba consumado. Fue allí en la terraza de aquella caseta abandonada, donde asesinó al hombre, en donde también había descubierto lo que debía hacer por todos los hombres que pueblan la tierra.

Era la primera vez que asesinaba, pero no se pensaba como un homicida, sino como un salvador.

Esto sucedió a la medianoche del 19 de octubre.

2

Iba camino a Staunton para reunirme con Hans Freeman y la jefa de Policía de la ciudad, encargada de los asesinatos.

Sentía que había logrado escapar de Wichita y de Frank gracias al agente Freeman. La propuesta de trabajo que me había hecho no era ordinaria, rendiría cuentas solo a él, y además podría decirse que estaba en fase de prueba. ¡Pero trabajaría en el Programa de Investigación de Asesinos Seriales del FBI! Y solo eso me importaba.

Volví a pensar en Frank, porque todavía no me hacía a la idea de que él hubiese hecho todo aquello. No era que no le entendiese. No lo justificaba, pero le entendía, pues yo también muchas veces quise matar a mi hermano Richard. Precisamente cuando me acordé de él, el conductor del auto hizo un giro brusco porque un pequeño ciervo se atravesó en la vía.

Miré por la ventanilla buscando al animalito. Lo vi, pero su marcha no me pareció normal. Era errática, tambaleante. Luego me fijé en las copas de los árboles a ambos lados de la carretera. Podía intuirse su espesura. No me relajo en los ambientes naturales, sino que, al contrario, me siento presa de ataques de pánico y de pensamientos del tipo «yo no podría sobrevivir sola internada en un lugar como ese». También me invade una sensación de abandono, de desolación.

Preferí pensar en otra cosa y, mecánicamente, toqué con la punta de los dedos el dosier que Hans me había entregado dos días antes.

—Este será tu primer caso —me dijo aquella mañana, dejando los papeles sobre la mesita junto a mi taza de café.

Se trataba de un asesino serial que decapitaba hombres desconocidos, y lo hacía en el parque George Washington, en un área boscosa cerca de Green Bank.

—Han encontrado tres víctimas decapitadas en el bosque cercano a la población de Green Bank. El primero fue asesinado el 19 de octubre, y desde su hallazgo se emprendió la búsqueda de un sospechoso que vivía en la zona y que había sido visto lleno de sangre y huyendo por Elliot Wilkinson, el guardabosques. Unos días después, y luego de encontrar a la segunda víctima, este hombre fue capturado por las autoridades locales. Era «convenientemente» un hombre que padecía esquizofrenia, conocido como el Loco Tom. —Rascó su barba y continuó hablando—: Eso sucedió hace tres semanas. La jefa de Policía se ha atribuido la captura del asesino, y la rápida resolución del caso. Pero hace tres días se cometió un tercer asesinato, mientras el supuesto culpable permanecía en custodia. ¡No sé cómo pudieron pensar que ese pobre hombre era el asesino! —exclamó Hans.

Lo escuchaba con atención y no intentaba siquiera interrumpirle. Prefería esperar a que él considerara que ya no tenía nada más que decirme.

—Entonces, por mucho que intentaron retrasar la llegada

del FBI, tuvieron que admitirnos. El interés en que el caso no diera de qué hablar tiene que ver con que la familia Beresford, una familia de políticos y militares bastante influyente en Virginia Occidental, está radicada allí, adelantando un programa en Green Bank, Staunton, Arbovale y Charlottesville. Uno relacionado con la educación espacial de niños. En este caso, el programa gira en torno al conocimiento del telescopio de Green Bank y del observatorio.

No pude evitar interrumpirle.

—¿Y qué tiene de especial esa familia Beresford?

—Lo tiene todo. Podrás fijarte cuando vayas por la carretera, en un escudo que muestra un árbol de cerezo. Está en todas partes: la escuela, el mercado, la iglesia, el parque. Ese símbolo significa que los Beresford han construido y han pagado por todo lo que hay allí. Son los mecenas del lugar y también irremediablemente sus dueños, y nadie los enfrenta. Han hecho una fortuna inmensa en esas tierras, desde hace más de cien años. Además, poseen un sólido *lobby* en los pasillos de la Casa Blanca. El escándalo de un asesino suelto los afecta. Pero, aunque eso me preocupa, lo que más nos desconcierta es que nadie conoce la identidad de las víctimas. Nadie los había visto jamás. No se tiene registro de las huellas de ninguno de los tres hombres. Son como fantasmas venidos de las profundidades del bosque George Washington —dijo Hans, lamentándose.

—¿Cómo eran las víctimas? —pregunté, pensando en que era insólito que esas personas vivieran allí en el parque y que ni siquiera los excursionistas los hubiesen visto.

—Caucásicos americanos, los tres de la misma edad, aproximadamente, con las mismas condiciones corporales…

—¿Cuáles? —interrumpí.

—Les faltaban piezas dentales y tenían ampollas y heridas

en los pies por caminar sin protección. Vestían ropas viejas. La conclusión que sacó el Departamento Forense es que las víctimas llevaban muchos años viviendo en el parque, aunque no estaban mal alimentados, según han revelado las autopsias.

Me quedé mirándole de manera fija para que continuara hablando.

—Están investigando en la Dirección de Personas Desaparecidas, pero hasta este momento no se han dado resultados —dijo frustrado.

Recuerdo que esa mañana Hans olía a limón y verbena de un modo sofocante, como nunca. Tendría que decirle algo al respecto. Le sonreía mientras pensaba esto.

Ahora, en el auto, miraba rápidamente las hojas del dosier para recordar todos los detalles de aquella conversación; no quería defraudarlo. Después de explicarme lo esencial del caso aquella mañana, hacía un día que me había enviado a casa el informe realizado por los dos agentes especializados en perfilar sospechosos que visitaron Green Bank. Lo que ahora llevaba conmigo era producto de las entrevistas que ellos habían adelantado.

Dejé de mirar las hojas porque comencé a marearme. Eso me sucede algunas veces si voy en la parte de atrás de los autos y me pongo a leer. Miré hacia afuera, al paisaje. Vi, al borde de la carretera, a un pequeño grupo de personas que parecían estar protestando. Eran seis o siete. Consideraba disparatada una manifestación en medio de esa soledad. Llevaban pancartas y gritaban consignas como si los oyera una multitud. Una patrulla de policías custodiaba la extraña marcha. Vi la expresión de uno de ellos y tampoco me pareció natural. Me miraba con recelo, como si yo fuese una amenaza.

Mientras el auto avanzaba, me concentré en las caras de quienes portaban los letreros. Pedí al chofer que disminuyera la marcha para poder observarlos.

Lo poco que había leído sobre los residentes de Green Bank era que allí estaba la Comunidad de Estudio Extraterrestre que se sentía atraída por el famoso observatorio y el radiotelescopio, convencidos de que todo visitante era un alienígena con malas intenciones. De hecho, seguramente tendría que entrevistar a uno de los miembros de la comunidad porque uno de los sospechosos era un estudioso que asistía a sus asambleas, en el bosque. Era un verdadero reto interactuar con esos grupos que, a mi juicio, en la mayoría de las ocasiones estaban tan convencidos de lo que creían que podían incluso ser peligrosos.

Me fijé en una mujer en particular. Era de complexión mediana y muy blanca, su cara ovalada estaba sudorosa; me fijé en su nariz diminuta y en sus ojos muy abiertos. La mujer me miró con desconfianza y luego me dijo: «Vete». Pensé que lo había imaginado, pero volvió a decirlo, y esa segunda vez no hubo duda porque pude leer mejor sus labios.

Sentí las manos frías y húmedas al comprender sus palabras. Le pedí al chofer que avanzara con mayor rapidez y suspiré, intentando deslastrarme de la incomodidad que me causó ella. Para colmo, en Green Bank también estaban los del movimiento radical de personas electrosensitivas, para quienes la zona era un verdadero paraíso, pues allí no se podían utilizar celulares, ni Internet que no fuera por cable, ni existían ondas de radio. Era un punto muerto en las interconexiones globales, conocida como «la zona silenciosa». Resulta que la otra persona de mayor interés, según el informe, pertenecía a ese movimiento. Se llamaba Laurie Bloom.

Cuando al fin perdí de vista al grupo, me alivié. Apreté con fuerza las hojas del informe que aún descansaban sobre mis piernas y miré el logotipo del Buró, como si fuera un escudo.

Algo dentro de mí hizo una pregunta incisiva, como un

bisturí en manos de un hábil cirujano. Me pregunté si podría seguir al servicio del FBI si se enteraban de lo de mi hermano Richard. Pero intenté despreocuparme, porque mi secreto estaba seguro. El doctor Lipman no podía decir nada, y era el único que lo sabía…

3

Hans Freeman le estrechó la mano a la jefa Liv Cornell, la encargada del caso de los asesinatos. No sabía explicarlo, pero la impresión inicial que ella le causó fue de alguien insegura. Parecía que este asesino serial que decapitaba en el parque había sido demasiado para ella, y eso podía entenderlo. No iba a ser un caso fácil de resolver.

Estaban en la comisaría de Staunton. Ella cerró la puerta de su despacho y bajó las persianas. Antes de que la puerta se cerrara del todo, Hans se dio cuenta de que un oficial de Policía que estaba parado en el pasillo lo miraba con recelo.

Liv pidió a Hans que se sentara, con un gesto. Hans obedeció y luego ella se acomodó frente a él. Mecánicamente movió un vaso de lugar, unos centímetros más allá, en la mesita que estaba junto a la silla plateada que ella había ocupado.

—No tenemos más información. Estamos estancados. Lo que sabemos es lo mismo que ya le deben haber informado los agentes MacLaine y Keaton. Ellos han entrevistado a los residentes. Me gustaría saber qué ha resultado de esa primera investigación. Han vuelto a Washington sin siquiera despedirse —dijo envuelta en un reclamo.

Hans asintió e inmediatamente comprendió que eso había sido un error por parte de los analistas que él mismo envió a investigar.

—Los reportes de los agentes han indicado el nombre de dos personas que consideramos de mayor interés que el resto —dijo, haciéndole saber esa información para intentar disminuir el malestar de Cornell.

—¿A quiénes se refiere? —preguntó Liv, interesada.

—Priorizaron a la comunidad radical de personas electrosensitivas, a los de la Comunidad de Estudio Extraterrestre y a los vecinos más cercanos al lugar de los hechos. Eso constituía una lista de cerca de cincuenta personas, de las doscientos que allí residen. Han considerado personas sospechosas a Laurie Bloom, una de las principales activistas de la comunidad de personas electrosensitivas...

—Sé a quién se refiere —respondió Liv, e hizo una mueca porque Laurie Bloom era conocida en la comisaría como una persona sumamente conflictiva.

—Y a Jeremy Archer, el investigador que está desarrollando la tesis doctoral con los de la Comunidad de Estudio Extraterrestre.

Liv también sabía a quién se refería, y él lo notó. Esa parte de Hans que intentaba concluir aspectos esenciales de quienes conocía se adueñó de su cabeza por un segundo y le transmitió una síntesis de la conducta de la mujer: está inconforme con su trayectoria en la Policía, tal vez haya pedido traslado a alguna parte y se lo han negado, le debe haber sido difícil mantener el mando en esta comisaría llena de hombres, me ve como un enemigo engreído y no podría afirmar que es efectiva dirigiendo casos.

Luego de hacerse esta impresión sobre Cornell, Hans continuó la charla.

—Ninguno de los dos tiene coartadas sólidas para los tres momentos en los cuales se han cometido los asesinatos.

—¿Y usted qué opina? —preguntó ella, dirigiéndole una mirada capciosa.

—Es muy temprano para una opinión. Pero confío en las habilidades de los agentes que envié aquí. Empezaré por conocerlos y entrevistarlos sin transmitirles señales de alarma. No quiero que sospechen que los tenemos encabezando la lista, por lo tanto, le pediría que me dejara entrevistarlos sin la presencia de sus agentes.

—No hay problema —respondió ella mientras volvía a acomodar el vaso en la mesita.

Hans pensó que a Liv le resultaba incómoda la conversación y que debía terminarla cuanto antes.

Hicieron un corto silencio y luego la jefa tomó la palabra.

—Reconozco que seguimos a oscuras en cuanto a la identidad del asesino y también de las víctimas. Estamos otra vez en cero, luego de la detención que llevamos a cabo, cuando creíamos que ya el caso estaba resuelto.

—Las evidencias contra Thomas Anderson, alias el Loco Tom, no eran concluyentes —interrumpió Hans casi involuntariamente. Le molestaba la ligereza con la cual había actuado la comisaría y no pudo evitar aclararlo. Pensaba además que el informe de Cornell dejaba mucho que desear y extrañó el profesionalismo de Anne Ashton en el caso de Wichita.

Liv recibió la frase de Hans sin chistar. Ella también sabía que habían cometido un error, y luego intentó justificarse.

—Estos casos conllevan mucha presión. Ya lo verá por sus propios ojos. Los Beresford quieren que se cierre rápido.

Hans supo apreciar esas palabras. Ahora le parecía que

estaban impregnadas de sinceridad y que por ese camino podrían actuar mejor en conjunto.

—No se preocupe. Sé que hay que manejar las cosas con guante de seda. Precisamente por eso, al principio, le pido que nos deje actuar a mi colaboradora y a mí sin mucho alboroto. Por supuesto, la mantendré al tanto —le dijo Hans en un evidente cambio de tono e intento de cercanía.

—¿Dónde está su colaboradora? —preguntó Liv, extrañada de que no estuviese allí.

—En este momento debe estar en camino. Yo tomé un vuelo para llegar antes.

—Muy bien, agente Freeman. Entonces cuente con nuestro total apoyo para resolver este asunto lo más pronto posible. Yo misma seré su contraparte. Le agradezco que me mantenga informada de los avances. Pídame lo que necesite para instalarse, alguna de nuestras oficinas, un auto, o lo que sea.

—Gracias. Primero daré una vuelta en la zona, porque ya cuento con un auto. Sería interesante que la gente viera a sus hombres en las calles, volviendo a preguntar a todos si han visto algo inusual. Pero a todos por igual. De esa manera será menos llamativo que nosotros contactemos solo a algunos vecinos. Además, así daremos la sensación de no estar de brazos cruzados ante la gravedad del caso, y de que trabajamos en conjunto —le dijo de la manera más cordial que pudo.

Ella asintió y dio por finalizada la reunión. Se levantó rápidamente, con resolución. Fue entonces cuando Hans se fijó en que era una mujer menuda pero fuerte; y que se encontraba en forma. Tuvo la impresión de que debía tener una excelente puntería. Tal vez por las miradas inquisidoras que le había dirigido. Sí, debía tener vista de halcón. Estuvo a punto de preguntarle sobre eso, pero se contuvo.

Liv caminó hasta la puerta y, cuando estuvo junto a ella, miró las persianas corridas. Hans notó que ese detalle de haberlas cerrado era importante para ella. Entonces comprendió que ese acto significaba que ella sabía que justo allí, dentro de la comisaría, había espías de los Beresford.

Era cierto que la atmósfera creada entre ellos en la habitación fue tensa; y que solo en un momento pareció que iba a romperse el hielo, cuando Liv reconoció la presión que cargaba encima para resolver el caso, pero definitivamente la desconfianza no había llegado a disiparse del todo. Sin embargo, Hans confiaba en que con el paso de las horas lograría mejorar la comunicación con Liv Cornell, porque le había gustado el detalle de las persianas. Después de todo, parecía que la encargada del caso estaba de su lado.

Liv lo observó unos segundos y luego abrió la puerta de la oficina. El mismo hombre desagradable se encontraba atento, intrigante. Hans le sostuvo la mirada hasta que este, vencido, dirigió la suya a otro lado.

Salió de la comisaría y llegó al auto, y, cuando lo encendió, observó la fachada del gris y chato edificio. No le gustaba para nada el ambiente de la comisaría de Staunton. Y eso agregaba una dificultad para dar con el asesino. Decidió apoyarse en su propio equipo porque no confiaba en las autoridades de ese lugar. De inmediato resolvió que debía instalar un centro de operaciones lejos de la comisaría, tal vez en una cabaña alquilada. Las horas que faltaban para que llegara Julia podría dedicarlas a organizarlo. Debía contar con una conexión wifi rápida, por lo cual buscaría un sitio cerca del conjunto de posadas lo más cerca posible de Green Bank, pero fuera del perímetro de la prohibición de las ondas. Decidió llamar a Julia por teléfono y pedirle que ya no se reunieran en Staunton, sino en la cabaña.

—Esto no va a ser fácil. Se ha perdido mucho tiempo

valioso por la detención de Thomas Anderson. Han sido investigaciones mediocres de los primeros dos crímenes y revelaciones tardías. Y está el silencio de este lugar y los Beresford. Hay que poner en tela de juicio todo lo dado por hecho... —se dijo Hans, haciendo un recuento de las dificultades en voz alta, mientras comenzaba a conducir.

Temía que incluso el trabajo intensivo que habían adelantado MacLaine y Keaton no llevara a nada. Su mayor temor era que los crímenes los estuvieran cometiendo varias personas de la comunidad, tal vez un grupo de fanáticos que operaba oculto. Él sentía un profundo respeto por la Comunidad de Estudio Extraterrestre y por la comunidad que defendía su derecho a vivir lejos de las ondas electromagnéticas. Conocía personas que pertenecían a ambos grupos en otras partes del país y compartía algunos de sus puntos de vista. Incluso contaba con un buen amigo que formaba parte del primer grupo, en Washington. Pero si había una asociación operando en la sombra, las coartadas no servirían. Esa pesadilla latía sobre sus hombros; la de que se tratara de criminales colectivos.

Golpeó el volante mientras esperaba la señal de cruce.

—Debemos ser mejores que ellos, más intuitivos. Julia y yo debemos ser más audaces... —dijo en un murmullo que se perdió dentro del auto.

4

Hans decidió ir de una vez a la abandonada caseta forestal donde fue asesinada la primera víctima. Intuía que, en este caso, la escena no era solo «una escena». El lugar era un personaje importante en el crimen. Como si el mismo bosque fuera el desencadenante de la violencia del asesino —o los asesinos— que él deseaba cazar. Por eso quería intentar sentir lo que ese hombre (o mujer) sentía.

Llegó cerca del área del bosque donde fue encontrado el primer cuerpo, eran casi las dos de la tarde. Dejó el auto estacionado y subió un pequeño montículo. Caminó hasta donde estaba la caseta que hacía años fue un lugar de descanso para los exploradores. Había hermosos cedros y robles que desprendían olor a cortezas aromáticas. Y un gran tronco blanco que destacaba a unos metros de la mesa del comedor externo de la caseta, donde se encontró el cuerpo.

Filmó con su celular el área. Miró la tierra, la hierba y la cinta amarilla que aún acordonaba la mesa. Sopló una brisa repentina.

Caminó e inspiró profundo un par de veces. Comenzó a

considerar que el asesino era uno solo. Tal vez ese espacio tan pacífico era sagrado para él, y lo estimulaba.

—¿Por qué aquí? ¿Por qué? ¿Solo porque nadie viene hasta acá? No, hay algo más. Tal vez alguna experiencia traumática en este descanso forestal, algún abuso de cuando eras niño…

Comenzó a hacerse más fuerte en Hans la idea de que el acto homicida había sido personal. Aunque no descartaba que otros supieran quién era el culpable.

Hans continuó caminando, buscando alguna huella en la tierra. Ya tenía fotos de la escena, pero tomó varias con su teléfono. Volvió a lamentar la ausencia de investigación producto de la detención del presunto homicida. Un psiquiatra del FBI entrevistó a Anderson. Su diagnóstico inmediato fue que era imposible que ese hombre hubiese cometido los asesinatos.

—Esa «equivocación» al detenerlo tal vez no fue una ingenua equivocación, sino que alguien buscó que eso pasara… —dijo en un tono aún más alto.

Escuchó un ruido, como si pisaran la hierba, cerca de él. Pero luego le restó importancia porque supuso que se trataba de algún explorador que había ingresado al bosque cerca de allí.

El asesino lo observaba, oculto. Trepó uno de los árboles con agilidad animal. Hans no pudo verlo. Pero el asesino lo había escuchado y sonreía.

Hans se adentró entre los cedros y llegó hasta una ruta de bicicletas, prácticamente en desuso. Se quedó mirándola porque la misma le sugirió una idea.

Luego se devolvió y se detuvo junto al roble blanco, y allí pensó en la ira del homicida; en que debía sentir un gran enojo o una fulminante convicción para cortar cabezas de esa forma.

—Debes estar muy convencido, tú debes ser un líder, ese alguien influyendo… ¿Pero por qué les cortas la cabeza? —preguntó en voz alta.

Sus palabras terminaron envueltas en el ruido que hacen las hojas al moverse. El asesino subió más alto en el árbol. Desde allí podía mirar la cabeza de Hans. Le gustó el color rojo de su pelo, tan vivo.

Hans se sentó en uno de los bancos cercanos a la zona acordonada, y allí se mantuvo un rato. Se levantó, caminó y se detuvo, después dio la vuelta y se imaginó a alguien sentado justo por debajo de él y de espaldas; luego miró a los lados y movió las manos como si manipulara un hacha imaginaria y cortara una cabeza. Después supuso que el asesino vio que a la primera víctima la cabeza le quedó colgando, y volvió a preguntarle al aire:

—¿Por qué no terminaste la faena? ¿No reconoces un error? Será porque tú no te equivocas. Puede ser eso: te crees infalible, tienes autoridad porque siempre la has tenido o te la has ganado…

Volvió a mirar el árbol de corteza blanca.

El asesino, al ver caminar a Hans hacia el roble, recordó de pronto que había puesto la mano sobre el tronco la primera vez. Una alarma resplandeció en su cerebro. «¡No era posible! ¡Este imbécil del FBI podía descubrir sus huellas!», pensó. Luego, para calmar el sofoco que experimentaba, se dijo que había pasado tiempo de aquello, varios días, y además había llovido. Tal vez ya no quedaban ni rastros. Se aferró a esa idea para no desplomarse desde allá arriba. Tenía que mantener la calma.

Hans cambió la dirección de sus pasos, alejándose del árbol, y se encaminó hacia la caseta del guardabosques que afirmó ver al Loco Tom huyendo. Debía caminar por un sendero unos diez minutos y luego bajar hacia la izquierda.

Se sentía frustrado, como si no hubiese podido despejar su cabeza del todo, como si hubiese estado cerca de descubrir algo importante sin conseguirlo al final. Pensaba que debía de haber alguna pista en alguna parte, y que el criminal no podía ser perfecto, aunque eso creyera.

Al cabo de quince minutos vio la cabaña de Elliot Wilkinson, el guardabosques.

—Hola —dijo y esperó alguna respuesta. Inmediatamente escuchó ruidos en el interior de la cabaña.

Un hombre bajo, de cara arrugada, nariz prominente y ojos color celeste apareció.

—¿Que desea? —preguntó con voz lenta mientras se apoyaba en el marco de la puerta en actitud displicente.

—Soy el agente Hans Freeman del FBI.

El sujeto sonrió de manera burlona. Eso le pareció a Hans innecesario, pero a la vez revelador.

—Y viene por lo del Loco Tom. Pues no tengo nada más que decir. Yo lo vi cruzar hacia allá, bañado de sangre. Eso fue lo que dije y lo mantengo. Que tenga un cómplice, o que no haya matado al último hombre, es otra cosa.

Hans se iba haciendo una opinión de Wilkinson, pero para profundizarla le pidió un vaso de agua.

—¿Me permite entrar? —preguntó intentando parecer inofensivo.

El viejo dudó, pero no tuvo más opción que permitirle el ingreso.

Hans miró rápidamente el interior de la cabaña. Olía a tabaco del bueno y vio dos botellas de *whisky* costoso sobre un estante. Esperó que Wilkinson le trajera el vaso de agua y miró su brazo izquierdo. Muy ostentoso colgaba de él un Rolex, y de modelo antiguo.

—Gracias. ¿Puedo sentarme?

—Hágalo —respondió él, indicándole dónde.

Los dos hombres se acomodaron en unas sillas en la salita de la cabaña.

—Quisiera que me repitiera lo que vio la noche del 19 de octubre.

—Qué diablos... ¿Otra vez? No se ofenda, pero es que ya lo he dicho hasta el cansancio.

—Debo insistir en que lo haga una vez más —respondió Hans con autoridad.

El hombre bajó la cabeza y movió el pie izquierdo, presionando el piso, como si estuviese aplastando un animal imaginario. Luego alzó la mirada, pero no la sostuvo en el rostro de Hans. Miraba, más bien, como por encima de su hombro. Relató lo que había visto aquella noche. La narración era exactamente igual a lo escrito en la declaración que Hans había leído al menos veinte veces. Demasiado perfecta, como si la hubiese ensayado.

—¿Le gusta fumar? —preguntó Hans de pronto para desconcertarlo.

—Pues sí. ¿Por qué lo dice?

—El olor del buen tabaco es difícil de ocultar —respondió, mirándolo fijamente.

—Puedo regalarle uno.

—No es necesario. Gracias por haberme recibido.

Al decir esto, se levantó y miró una vez más la estancia. Decidió en ese momento no considerarlo un testigo, sino un sospechoso. Tenía la convicción de que ese hombre mentía. Por alguna razón creía que mucha gente en Green Bank estaba dispuesta a mentir.

Al salir de la cabaña, y mientras caminaba por el sendero que le llevaría de nuevo a la escena del crimen, llamó a Bob Stonor, de la oficina de Washington.

—Bob, quiero que investigues a Elliot Wilkinson. No me gusta. Sobre todo sus cuentas bancarias. Y recuerda además la actualización de los datos sobre las ventas del libro del profesor Robert Ferguson.

—Está bien —respondió la voz que salía del otro lado del celular.

Cortó la comunicación y entonces pensó en Julia Stein. Se sentía un poco culpable porque no le había dicho nada aún sobre Ferguson. Ella ignoraba que habían encontrado un libro de su autoría junto a la última víctima, y que era por eso por lo que el caso implicaba todavía más de cerca a los Beresford. Porque Ferguson era el esposo de la única hija de Katty Beresford, la que mandaba realmente en la familia. Le interesaba contar con la mirada fresca de Julia, y para ello se había guardado esa información como elemento sorpresa.

Estuvo un tiempo deambulando por los senderos del bosque. Su preocupación iba creciendo. Tal vez el caso fuese demasiado para Julia Stein. Además, la comisaría era poco confiable, la acción de dos grupos circundaba en silencio, la presencia de los Beresford latía en todas partes. Y había alguien influyendo, satisfecho, seguro... Se sintió perdido.

No supo que el asesino, al verlo alejarse en dirección a la casa de Wilkinson, había bajado del árbol y quitado la mancha de sangre con sus huellas que dejó en la corteza.

Y Hans no la vio.

5

LLEGUÉ a la cabaña donde Hans me dijo que lo encontrara. Estaba muy cerca de «la zona silenciosa».

Toqué a la puerta y escuché su voz pidiéndome que entrara. Lo encontré sentado en torno a una enorme mesa de madera sólida, construida de un único tronco, repleta de papeles y con la portátil en el medio de todo.

Hans no tenía buena cara.

Me acerqué, un poco nerviosa —ese era un efecto que todavía me producía su presencia—, pero inmediatamente dejé de centrarme en él. Estaba rodeado de unas fotografías espantosas de los hombres decapitados. No pude contener las náuseas y salí de la cabaña.

Volví al cabo de unos minutos, apenada.

—No te preocupes. Sé que es desagradable lo que aparece en estas fotografías —me dijo, condescendiente.

Se dirigió al área de la cocina y volvió portando un vaso largo de agua.

—Ya estoy recuperada —le respondí y puse el vaso sobre la mesa de los papeles, después de tomar un sorbo. Hubiese preferido un trago de vodka o una taza de café, pero no se lo dije.

Me preguntó qué tal el viaje y si todo estaba bien en el hotel. Eran las preguntas consabidas. La verdad es que era un hombre bastante convencional, o tal vez muy tímido. Le respondí que todo bien, y nos pusimos a hablar del caso, sin perder tiempo, una vez que nos acomodamos en la salita de la cabaña. Creo que me llevó hasta allá para apartarme de las impactantes imágenes que estaba estudiando.

Recuerdo que en ese momento tuve la impresión de que Hans me ocultaba algo. Me preguntó si había podido estudiar el dosier con las fichas de las entrevistas de MacLaine y Keaton.

—Lo he leído todo. Ellos han identificado como personas de mayor interés a Laurie Bloom y a Jeremy Archer…

Me interrumpió.

—Tengo que decirte que no me gusta la forma como han conducido las cosas aquí en Staunton. Hoy he visto a la encargada del caso, a la jefa Liv Cornell. Tengo una impresión ambigua sobre ella. Creo que, aunque quiera hacer bien su trabajo, es presa de influencias más grandes.

—¿Te refieres a los Beresford? —le pregunté, aunque ya sabía la respuesta.

—Exactamente. Pero no es solo eso. No estoy conforme con esta investigación porque creo que no se hizo bien y se tomó sin más al primero que convenía como culpable solo por la declaración de un sujeto que no me gusta nada. Además de todo eso, hay otra cosa. Pero no quiero predisponerte con mis suposiciones. Sigamos adelante, y de acuerdo con cómo se desarrollen las pesquisas iremos concluyendo. Por ahora continuemos con el plan. Debemos entrevistarnos con Laurie Bloom y Jeremy Archer, y tú debes participar en las reuniones de la Comunidad de Estudio Extraterrestre.

Asentí.

—Tengo que confesarte algo que no te había dicho antes —dijo con aplomo y cambiando el tema.

Lógicamente, demostré extrañeza, pero ya lo sabía. Sabía que no me lo había dicho todo.

—En la última escena, el criminal dejó sobre la mesa de la caseta forestal, junto a la víctima, el libro *Es mejor que no oigan nuestro silencio*, del profesor Robert Ferguson.

Nunca había escuchado hablar de ese libro, aunque sí del autor, dado que leí una ficha de investigación sobre él de las que elaboraron los perfiladores que nos antecedieron.

Me quedé mirando a Hans y esperando a que continuara explicándose. No tenía idea de que esa información que me estaba dando era fundamental y que luego lo cambiaría todo.

—Es un ensayo mediocre, cuya única virtud es el tratamiento de un tema controversial que enfrenta a los creyentes de la vida extraterrestre en la Tierra con la comunidad electrosensitiva.

—¿Pero por qué el asesino lo ha dejado allí? ¿Qué significa eso? —pregunté de inmediato.

—No lo sabemos. Así que lo primero que haremos, ahora mismo, es ir a entrevistarnos con ese profesor —respondió.

—Está bien —dije animada porque me pareció una buena idea—. ¿Por qué dices que enfrenta a esos grupos?

—Porque es un detractor de «la zona silenciosa», y eso va en contra de la comunidad que se reconoce como sensible a las ondas electromagnéticas.

Luego continuó hablando mientras cruzaba las piernas.

—Está claro que este profesor cuenta con una inteligencia promedio y busca fama polemizando. Todas sus ideas son patrañas y trampas cazabobos. Pero me gustaría que intentaras formarte una opinión de él, por tus propios medios. Estoy seguro de que lo harás.

Hasta ese momento yo solo sabía que Robert Ferguson era un profesor muy popular en la Universidad de Washington, sociólogo y antropólogo especializado en el mundo contemporáneo, y un buscapleitos muy dado a apariciones en televisión y prensa.

—¿Tienes allí la foto del libro encontrado? —pregunté.

Se levantó y fue a buscarla en la mesa. Me la mostró, quedándose de pie, a mi lado.

Nunca había visto la imagen de un libro ensangrentado. Me pareció que aquella estampa tenía algo de desafortunado, de incomprensible. Me estaba preguntando lo mismo que creía se había preguntado Hans en su momento: ¿por qué diablos el asesino habría dejado un ejemplar de *Es mejor que no oigan nuestro silencio* con la primera página ensangrentada junto a la tercera víctima?

Para entonces, Hans no había sido sincero del todo conmigo. Dejó que creyera que seguiríamos a pies juntillas lo que habían recomendado MacLaine y Keaton. Pero él ya se estaba imaginando algo peor. Ya en ese momento creía que las buenas coartadas de otras personas podrían ser mentira, que la complicidad quizá contaminó a los pobladores de Green Bank, rodeados por aquel denso bosque donde los secretos podían permanecer ocultos.

6

—Vamos de una vez —dijo Hans y se levantó del sillón gris donde estuvo sentado, en la salita de la cabaña.

Lo seguí pensativa. Salimos de la casa y nos dirigimos hacia el automóvil. Recuerdo que todo el trayecto lo hicimos en silencio. Yo no quería tomar la iniciativa de hablar, sino que más bien quería esperar a que fuese él quien lo hiciera. En ese momento me di cuenta de que definitivamente estaba con un hombre reservado. Tal vez por eso escondía su rostro en medio de esa selva de pelos, con esa barba tan poblada y descuidada que lo hacía parecer mayor.

Atribuí ese mutismo a que ya nos habíamos dicho todo lo importante. Tal vez he debido pensar que no era eso, sino que estaba preocupado. A lo sumo creí que estaba un poco contrariado porque no teníamos pistas más allá de las opiniones de los perfiladores. Las escenas estaban limpias, o al menos eso dijeron los policías de Staunton. Entonces comencé a darme cuenta, pero solo un poco, de que nos estábamos contagiando del recelo imperante en la zona. No sé por qué recordé el escudo de la familia Beresford. El del árbol de cerezo en primer plano y una especie de murciélago detrás. Y el cintillo en la parte inferior con el lema de Virginia: «*Sic Semper Tyrannis*», «así siempre a los tiranos», la mano dura frente a aquellos que abusan del poder.

Tomamos la interestatal y luego la abandonamos para entrar en las afueras de Green Bank. El bosque se perdía en el horizonte, y parecía cercarnos por todos lados. Como si fueran ellos —los árboles— los que se fueran aproximando poco a poco a nosotros. Intenté despejar esas ideas. Pero Hans no ayudaba, porque no decía ni una palabra. Luego supe que intentaba protegerme y que no quería hablarme de todas sus sospechas.

En pocos minutos estuvimos frente a un pretencioso palacete neocolonial, cerca de Green Bank. Era la residencia de Robert Ferguson y Grace Tennant Beresford, la hija de Katty. Lo primero que vi sobre la pared frontal de la casa, invadida de musgos, fue a varias mariposas tigre revoloteando.

Tocamos y esperamos a que nos abrieran la puerta. Lo hizo una empleada doméstica que portaba una cofia muy convencional, con un modelo de uniforme que me pareció de hacía al menos doscientos años. Me produjo cierta desazón, porque yo sabía lo que eso significaba: una profunda hipocresía. Creo que las familias convencionales muchas veces esconden secretos. Maggie, mi madre, también es convencional y supo esconder lo de Richard.

La mujer menuda y canosa se llevó nuestros nombres y nos dejó parados en el recibidor. Se alejó unos momentos y luego volvió con una sonrisa estampada en el rostro.

Aproveché su breve ausencia para mirar la casa. Estaba llena de objetos costosos y extravagantes. Pero lo que más me llamó la atención fue una escultura. Al principio pensé que era una Virgen, pero luego renuncié a esa idea. Era la forma de una mujer, sin duda, envuelta en túnicas que se plegaban sobre su cuerpo. No sé por qué me fijé en el cuello de la escultura con especial atención. Tal vez las fotografías en la mesa de Hans me afectaron más de lo que había hecho consciente. Me pareció ver que en el cuello de la figura había una fisura, una larga rotura que lo atravesaba por completo. Como si alguien le hubiese quitado la cabeza y luego vuelto a pegarla. Recordé que para mi madre hacer algo así era imperdonable. Una vez rompí una figura de porcelana de una pastorcita, y Maggie tomó con furia el cuerpo y los brazos despegados y los tiró directo a la basura. Parecía que en esta casa no eran tan radicales en cuanto al cuidado de los objetos. Pero luego de esta reflexión que me transportó a esa experiencia de niña, me surgió otra mucho más desagradable y oscura: ¿era una casualidad que la escultura mostrase la evidencia de un desprendimiento de cabeza? Tal vez estaba exagerando, pero no podía dejar de mirarla.

Cuando la sonriente mujer de la cofia volvió, nos pidió que la acompañáramos a la terraza y nos condujo a ella. Pasamos rápidamente en medio de un gran salón donde reinaba el color blanco, que parecía una mezcla imposible de algodón y yeso, como un revuelto de encajes. Las paredes daban la impresión de ser líquidas porque estaban llenas de pequeñas curvas. Esa estancia parecía haber sido imaginada por un artista modernista. En el medio de todo destacaba un gran sillón negro. No sé por qué imaginé que era el asiento predilecto de Robert Ferguson. Como si fuera el lugar preferido de vigilia de un halcón peregrino para cazar a sus presas.

Pasamos también por un comedor enorme con una claraboya, y salimos por una puerta ventana a un jardín encantador. El césped perfectamente cuidado, jardineras llenas de rododendros a los dos lados y un camino de abetos al fondo. Y, en medio, senderos llenos de cornos blancos y amarillos.

Nos sentamos en unas sillas de hierro junto a una mesa

circular, bajo un espacio techado frente al extenso jardín. Al final podía verse el bosque como una gran mancha oscura. Esa casa estaba muy próxima a él. Me estremecí.

Hans se levantó y se detuvo de espaldas, como admirando el paisaje, cuando por la puerta ventana apareció un hombre imponente. De esas personas cuya apariencia no olvidas con facilidad. Era un sujeto de más de cuarenta años, de cabello rubio y largo sostenido en una cola baja. La mandíbula era cuadrada y gruesa, y los ojos eran como dos chispas verdes. Su piel lucía un tono bronceado y vestía un traje hecho a la medida color azul pálido que le destacaba aún más. Entraba movido por grandes pasos que agitaban su pelo. Desprendía un aire teatral, y se acercó a donde estábamos Hans y yo.

—Agente —dijo con voz potente y dándole la mano.

Luego me miró. Hizo una pausa incómoda, como evaluándome.

—No sabe cuánto placer me da conocerlos. Esta casa es su casa.

Me dio la mano. La sentí caliente, blanda. Tardó en soltarme. Pude ver un gran reloj rosado lleno de pequeños diamantes en su brazo.

—Sentémonos. Permítanme invitarles algo de beber, un café o un trago, y luego hablaremos. Después están invitados a cenar, si lo desean, el célebre pastel de jamón campestre que hizo Collette. Nadie cocina como nuestra Collette.

Hans se sentó a mi lado y tomó la palabra.

—Agradecemos su invitación, pero no podemos aceptarla. Venimos, como sabe, a hablar de los hechos relacionados con las muertes en el bosque… —decía Hans cuando fue interrumpido por Ferguson.

—Esos hechos lamentables, los de las muertes de esos hombres. Yo le aseguro que voy a poner todo mi empeño y mi voluntad completa para que cosas como esas no vuelvan a manchar el buen nombre de esta comunidad y de esta familia.

Tuve la sensación de que este hombre podría hablar horas y horas sin parar, y sin decir realmente nada. Hubiese dado lo que fuese por saber qué estaba pensando Hans en ese momento.

—Profesor Ferguson… —Hans retomó la conversación.

—No, no. Llámame Robert. Entre nosotros no puede haber formalidad. Tengo por norma que quien se haya sentado en mi terraza es mi amigo. Me han dicho que pertenecen al Programa de Investigación de Asesinos Seriales. Me interesaría muchísimo conversar con usted cuando pase todo esto porque creo que puedo contribuir con mi experiencia a las investigaciones que ustedes desarrollan.

Ahora me miraba a mí, nuevamente, como queriendo tragarse mi mente.

Entonces apareció una mujer vestida de una manera impecable, con un traje en tono verde oliva. Puedo decir que no sé cómo hizo para llegar hasta allí sin hacer ningún ruido. Era delgada y muy blanca. Tenía el cabello rubio y abundante, los ojos marrones y la nariz un tanto aguileña. El conjunto me pareció agradable, estilizado.

—Ella es mi esposa Grace —dijo Ferguson.

Grace sonrió, pero yo noté que estaba tensa. Nos dio la mano, primero a Hans y luego a mí, y la sentí helada. No dijo una palabra y se dejó caer en la silla junto a Hans, mirándolo fijamente.

—¿Tiene usted alguna idea de quién es el asesino serial que está atacando en el bosque? —preguntó Hans a Ferguson en forma directa.

Yo no le quitaba la mirada de encima a Grace, y estoy segura de haber detectado horror en su rostro al oír aquella pregunta. Los ojos se le agrandaron y las pupilas se dilataron.

Creí ver un temblor cerca de sus labios. Pensé que iba a desmayarse, pero se mantuvo inmóvil.

Ferguson se carcajeó de manera ordinaria y respondió que si lo supiera lo hubiese entrevistado antes de entregarlo a la Policía, para escribir su próximo libro.

En aquel momento llegaron corriendo cinco niños muy parecidos entre sí, casi iguales. Sin quererlo recordé a las hermanas del Hotel Overlook de la película *El resplandor*. Desde que había visto a la mujer de la carretera, todo en Green Bank era incierto. Y la verdad es que no me gustan esas similitudes entre las personas. La gente decía que Richard y yo nos parecíamos, y eso me encolerizaba.

—¿Se imagina alguna razón por la cual el asesino dejó un ejemplar de su libro en la escena del crimen? —preguntó Hans.

—Ya lo he dicho antes. Supongo que porque mis ideas le han resultado sugerentes —respondió sin pudor.

—¿Por qué lo harían? —continuó Hans.

—Porque son innovadoras. Tal vez este asesino sea inteligente y esté cansado de las ideas mediocres. Tal vez lo que busca es novedad bajo una consigna cruel, claro está. Cuando lo atrape, me gustaría mucho conocerlo.

Hans le seguía la corriente y no revelaba ningún disgusto en su rostro. Pero yo sabía que le parecía un hombre patético, como a mí.

—¿Y a usted, Grace? ¿Se le ocurre alguna razón por la cual un ejemplar del libro de su esposo apareciera manchado de sangre junto al cuerpo decapitado?

—Ninguna. Tal vez quieran atacarnos a nosotros, atacar a nuestra familia, me refiero. No lo sé —respondió ella con una voz dulce, aparentemente tranquila.

Pero me temía que era una buena actriz y estaba acostumbrada a no reflejar lo que pensaba. La primera impresión que me atacó al entrar en esa casa, sobre la hipocresía y los secretos, se comprobaba en la persona de Grace Tennant Beresford. Ese hablar tanto de la familia, de protegerla, me asfixiaba. Como si ella no tuviese su propio peso.

Hans les pidió una lista de personas que podrían querer perjudicarlos y Robert Ferguson bromeó afirmando que con ella podría empapelar la Gran Muralla China.

El chiste no me pareció de buen gusto, y estoy segura de que a Grace tampoco. En ese momento abrió más los ojos y dibujó una expresión de asco en el rostro. Esa mujer sabía algo sobre su esposo que no quería decirnos. Creo que desde ese momento me reté a mí misma; me dije que yo tenía que descubrir lo que ocultaba Grace, porque ese sería mi primer hallazgo del caso. Grace era clave para adelantar en la investigación, estoy segura.

La conversación se mantuvo cerca de media hora y no aportó ningún avance claro. Hans trató puntos que me parecieron lógicos; si conocían a las víctimas, qué hacían las noches de los asesinatos, si habían visto personas o sucesos inusuales en la zona.

El rato fue muy útil para conocer la personalidad de ambos. En conclusión, Robert Ferguson estaba muy satisfecho del éxito de su libro y reconocía con desparpajo que le gustaba que el asesino lo hubiese dejado allí, junto a la víctima. Intenté imaginarlo como el homicida. Era un hablador, tal vez un patán, y tal vez también fuese el asesino de Green Bank. Me resultaba tan desagradable la personalidad de Ferguson que me mantuve todo el rato estudiando a Grace. Intentando hacerme una idea de ella. Era refinada, creo que inteligente, pero intuía que estaba defraudada e inconforme con la vida que llevaba. Solo la vi reír cuando los niños se acercaron. Su rostro cambiaba mientras les hablaba, porque adquiría una dulzura genuina.

Me moría por preguntarle a Hans su opinión sobre la pareja mientras desandábamos los pasos para salir de la casa. Volteé cuando salimos de la sala blanca y volví a mirar la escultura de la mujer envuelta en la túnica; la de la cabeza rota y recompuesta.

7

—¿Qué piensas de ellos? —le pregunté una vez dentro del auto.

—No lo sé. Me cuesta obtener claridad en este caso. Más allá de los rasgos de personalidad y de la evidente simbiosis que existe entre ellos, detecto una tensión contenida en Grace.

—Es cierto. Y el tipo es un idiota —dije sin pensar.

—Lo sé —respondió Hans y me miró unos segundos. Creo que le causó gracia mi arrebato de sinceridad—. Vamos a pensar. Tenemos que darle vueltas al caso. Mañana veremos las cosas más claras. Quedemos en vernos a las once, en la cabaña. Para esa hora espero tener algún resultado sobre la identidad de al menos alguna de las víctimas y saber algo más de Elliot Wilkinson, el supuesto testigo. Fui a verlo y no me convenció.

Hans me contó sobre su visita a la escena del primer crimen y a la casa de Wilkinson, y las intuiciones que tuvo durante su estancia en el bosque. También expuso mayores reparos en cuanto a la comisaría de Staunton.

—¿Te fijaste en la escultura en la entrada de la casa? —le

pregunté, ya que me había quedado con esa imagen metida en la cabeza.

—¿La escultura? ¿Por qué?

—Tal vez no sea nada, pero estaba rota en el cuello. No me hagas caso. Me fijo en esas cosas porque mi madre era muy rígida en cuanto a la «unidad» de los objetos. No debes prestarme atención.

—Al contrario. Me parece un detalle de importancia. Un dato sugestivo.

Su respuesta me agradó y, extrañamente, después de esas palabras nos sumimos en un interesante silencio que no me resultó incómodo. Me di cuenta de que una mente brillante como la de Hans en verdad creía en «mi propia voz». Cuando llegamos al hotel donde me hospedaba, nos despedimos. Pero cuando iba a cerrar la puerta del auto, él me detuvo.

—Toma. Este es el libro de Ferguson. Es importante que te formes tu propia opinión, y tal vez puedas encontrar algo que yo no detecté. Algo que nos sea revelador, porque por alguna razón el homicida lo dejó allí —dijo extendiendo su cuerpo hacia atrás y alargando el brazo para agarrar un sobre que estaba en el asiento trasero.

Lo tomé y le deseé buenas noches.

En el ascensor apreté el sobre contra mi pecho porque participaba en algo junto con una de las mejores mentes policiales. Todavía lo pensaba y no podía creerlo. Entonces, si tenía que leer idioteces escritas por el mismísimo diablo, lo haría. Y si tenía que internarme en ese bendito bosque, también estaba dispuesta. Me sentí poderosa.

Miré hacia arriba y noté una cámara. Creo que no me gustó

que alguien pudiera ver mi cara en ese momento. Cuando llegué al piso número tres e iba a salir del ascensor, recordé que se me habían acabado las pastillas de Tylenol que me ayudan a calmar el dolor de cabeza. Dudé unos segundos si salir o no, pero lo hice. Marché en dirección a una farmacia. Quedaba solo a dos cuadras. Había alquilado un auto al llegar al hotel, siguiendo las indicaciones de Hans, pero preferí ir caminando. Sentí un silencio sepulcral en esa calle. Tuve la impresión de que alguien me vigilaba de cerca. Tal vez fue después de haber visto aquella cámara apuntándome en el ascensor. Me dije a mí misma que tenía que superar esa sensación de estar metida en un lugar de los existentes en la mente de Stephen King, donde todos son conspiradores o vigilantes de un siniestro secreto.

Fui y vine de la farmacia sin ningún contratiempo y subí a la habitación. Debo decir, mejor, casi sin ningún contratiempo, porque sí hubo uno pequeño, si cuento el tropezón que me di con un sujeto que entraba en la farmacia cuando yo salía de ella y que, sin decir palabra, entró hacia el mostrador. Es difícil encontrarse con una persona agradable en este pueblo.

Mientras me duchaba pensaba que tenía que aprovechar el tiempo en aras de la investigación. Sabía que a Hans no le parecía Robert Ferguson el asesino, pero yo no quería descartarlo tan rápido. Lo imaginé volándole la cabeza a la escultura en un ataque de ira. Aunque según el dosier, él tenía una coartada sólida al haber estado rodeado de gente las noches de los asesinatos.

Pensé que tal vez en la Universidad de Washington supieran algo revelador, y de pronto recordé que Henry Randall, el hermano mayor de mi exnovio Jimmy, trabajaba en el Departamento Legal. Me atreví a escribirle y luego a llamarlo. Le pedí información sobre el profesor. Aunque me costó sacársela, la obtuve porque siempre le resulté simpática al bueno de Henry.

Me enteré de que Robert Ferguson, además de fama de seductor, había tenido problemas legales por plagio. Un estudiante lo acusó de utilizar un ensayo de su autoría y haberlo presentado como propio. El asunto llegó a mayores porque el auto de Ferguson fue siniestrado y este culpó al chico y lo amenazó con un palo de golf, prometiendo quitarle la cabeza.

Me sentí satisfecha con esa información porque confirmaba que Robert Ferguson era un hombre violento y un salvaje. ¡Intuía que él fuera el asesino! Lo de quitarle la cabeza al estudiante y lo de la escultura en su casa podían ser datos importantes.

Me provocó tomarme la media botella de vino del minibar y ordené una gran hamburguesa que devoré. Luego agarré el libro. Al cabo de cincuenta minutos concluí que era un bodrio que utilizaba el asunto de Green Bank para exacerbar la paranoia y la desconfianza. Lo dejé abierto, y sin el cuidado de no doblar sus hojas, sobre la mesita de noche.

Puse la cabeza sobre la almohada y me obligué a dormir. Entonces, la última idea que me cruzó por la mente fue vigilar a Grace en la mañana, sin decirle nada a Hans. Por lo de seguir «mi propia voz» y contarle a él solo cuando tuviese un avance.

Estaba segura de que ella era el eslabón más débil, por medio del cual se podía llegar a saber algo más del profesor Ferguson y, eventualmente, de los asesinatos. Porque, aunque Ferguson no fuera el asesino, algo vital quería decir el homicida dejando ese libro en la escena. Haberlo hecho no con la primera víctima, sino con la tercera, también debía ser un detalle importante. Yo estaba convencida de que el escritor había ofendido a mucha gente. Tal vez el enojo del asesino era hacia él, pero entonces, ¿por qué no lo mataba?

8

Eran las tres y cuarenta y tres minutos de la madrugada.

Hans repasaba los detalles de la escena del crimen más reciente porque creía que en ella tenía mayor posibilidad de descubrir algo.

Miraba la fotografía del libro abierto en la primera página. Del lado inferior izquierdo se encontraban los datos de la editorial y sobre ellos había una mancha de sangre más extensa. ¿Habrá sido a propósito o solo sucedió al tomar el libro y restregarlo en el cuerpo sangrante de la víctima? Parecía que el asesino estaba dejando un mensaje de rechazo a Ferguson. O tal vez no fuera eso, tal vez fuera a la familia de Grace. ¡La editorial pertenecía a los Beresford!

Entonces Hans comenzó a ver el asunto del libro desde otra perspectiva.

—¿Y si la ira del asesino, la llamada de atención, la sangrienta denuncia que hacía al dejar el libro allí no tenía que ver con Ferguson, sino con los Beresford? —exclamó.

Se levantó excitado y decidió preparar café, pero luego olvidó tomarlo, dejó la taza sobre la mesa y salió de la cabaña para acariciar esa idea que se le acababa de ocurrir: los asesinatos como respuesta o como revancha a la poderosa familia.

—Es posible…

De pronto escuchó un ruido a unos pasos de él, seguido de un resplandor y un zumbido. La bombilla de la terraza se fundió y la lámpara que la cubría se manchó de negro y luego cayó al suelo, haciéndose añicos.

Hans, sin darse cuenta, ya había puesto la mano en donde debía estar la Glock, pero este movimiento fue instintivo, pues había dejado la cartuchera y el arma sobre la mesita de la sala.

—Cálmate —se dijo, moviendo la cabeza hacia un lado —, es solo la lámpara que estalló.

Miró el bosque y le pareció la causa de sus nervios. Creía que ese lugar estaba repleto de secretos. Cambió de dirección y siguió cavilando. Tendría que averiguar si Laurie Bloom o Jeremy Archer habían tenido relación con los Beresford. No había nada acerca de eso en los reportes MacLaine-Keaton. Tal vez debía llamar a los perfiladores para preguntarles ese asunto en específico. Miró la hora en su reloj y desistió. No podía seguir despertando a la gente cuando normalmente se estaba durmiendo. Eso contribuía a afianzar la fama que le habían hecho de obsesionarse de forma extraña con su trabajo.

Se fijó que sobre el piso que conducía a la escalera que terminaba en la puerta de la cabaña había un objeto pequeño. Se acercó con precaución. Eran tres pedazos de corteza de árbol amarrados en los bordes con unas hojas finísimas color naranja que hacían en conjunto la figura de un triángulo. ¿Qué hacía eso allí? ¿Qué significaba? Tal vez nada. Quizá entre los ocupantes anteriores de esa cabaña hubo algún niño que construyó aquello por alguna razón. Lo tomó entre sus manos. Luego caminó hasta la entrada de la casa y lo dejó sobre una piedra plana que había junto a la escalinata.

Echó su pelo hacia atrás y lo sintió frío. Tenía que ordenar un poco las ideas de su cabeza.

Decidió entrar en la cabaña. Solo debía concentrarse en el homicida y despejar las distracciones. Comenzar por el principio. ¿Por qué el asesino mataba de esa forma? ¿Por qué les quitaba las cabezas en el bosque? Allí debía estar la clave.

Al fin entró y aseguró la puerta.

Hans caminó por el comedor y se fijó que sobre la mesa había dejado la taza de café. Sintió sed y buscó una cerveza Corona, que creía haber guardado en el congelador, y se la tomó, mirando las fotos de los tres decapitados. Recordó lo de la escultura que le había dicho Julia. ¿Significaría algo o sería imaginación de la muchacha?

Intentaba, inútilmente, adelantar pasos en el perfil del asesino y en sus motivaciones para decapitar a las víctimas. Necesitaba comprender su forma de razonar los crímenes.

—Va a ser difícil separar el heno de la paja en este caso — soltó en una frase que pareció dirigida a los papeles sobre la mesa y a la botella helada de cerveza.

Miró el mapa que había desplegado, donde señaló una ruta de bicicleta cercana a la primera escena del crimen que ya conocía. Puso el dedo índice sobre una marca circular del mapa que señalaba dónde habían asesinado al segundo hombre, a una milla del río, hacia el norte. Por último, se fijó en el otro punto del mapa, hacia el oeste, donde habían encontrado a la tercera víctima. Los tres puntos se encontraban equidistantes del río Greenbrier, formando un triángulo. También miró el acceso a la carretera 92. Marcó la casa de Elliot Wilkinson y dos puntos más: donde vivían Jeremy Archer y Laurie Bloom.

Lo único que Hans daba por cierto era que el inusual

modus operandi que había escogido el asesino y el lugar donde cometía los asesinatos significaban algo. Era como si para él hubiese una explicación, un sentido de hacerlo así y no de otra manera que incluso exigiera menos destreza. Temía que ese sentido fuera complejo. Robert Ferguson le parecía un fraude y por ello no le encajaba de momento en el perfil. Grace tal vez era demasiado débil y no la imaginaba tomando un hacha con resolución. Aunque bien podría estar fingiendo y desarrollando un papel. Tal vez el asesino tuviese unas sólidas convicciones ocultas hasta para las personas más cercanas, y fingiera debilidad. Y el problema era que tenía la impresión de que en aquel lugar la gente sabía fingir con destreza.

Se recordó caminando en el bosque, junto a la caseta mientras miraba las fotos que había tomado con su celular. En ese instante intuyó que había estado cerca de dar con algo, pero que tuvo una distracción con uno de los oficiales. Sintió el impulso de volver a la escena del primer crimen, pero lo desechó. Miraba las fotos una y otra vez mientras pasaban los minutos, pero no logró conseguir nada nuevo. Se jaló el lóbulo de la oreja y pasó sus manos sobre la cabeza. Pensó que tal vez la visita a las otras dos escenas le revelasen algo. Más aún en donde el asesino había dejado el libro de Ferguson.

—¿La motivación del asesino se trata de algo relacionado con la familia Beresford? —volvía a preguntarse y de nuevo se sentía en el inicio del círculo. Necesitaba más información, y lo que le tenía atado de manos era no saber absolutamente nada de las víctimas.

Estaba tan ensimismado que, cuando tomó conciencia de su cuerpo, se dio cuenta de que se había quedado parado en medio de la sala, frente a la ventana, con el celular en la mano, y ya no debía faltar mucho tiempo para que amaneciera. Ahora unos pájaros amarillos y negros revoloteaban y picoteaban contra el cristal, pero desaparecieron a los pocos segundos. Caminó unos pasos y puso el arma sobre un estante, junto a unos libros y unos estuches de Blu-ray. Luego se zafó un zapato, chocando la parte frontal del pie derecho contra la parte trasera del zapato que calzaba en el otro pie. Acostumbraba a descalzarse de esa manera, de pie, cuando estaba obsesionado por una idea que no terminaba de dominar. Se quitó de manera mecánica el otro zapato, pensando que la claridad cartesiana del informe MacLaine-Keaton cada vez estaba más difuminada para él.

Se tumbó en el sofá de pino claro que gobernaba la sala, desde el principio le había parecido más cómodo que la cama. Cerró los ojos. Necesitaba descansar, aunque no lograra dormir.

Debía esperar con paciencia la llamada de Bob Stonor para informarse de los avances en la Dirección de Personas Desaparecidas, en cuanto amaneciera, en poco tiempo. Decidió que en la mañana debía instruir a Julia para que visitase a Jeremy Archer, el sujeto que hacía la tesis doctoral. Tampoco podía descartar por completo los informes MacLaine-Keaton... Esperaba, sinceramente, equivocarse y que el asesino no hubiese logrado crear la sugestión de una coartada válida, o que no contase con cómplices. Casi prefería que fuese uno de los dos que se privilegiaban en el informe. También deseaba que el halo de misterio que pesaba sobre ese lugar no afectara demasiado a Julia Stein. Le había parecido que estaba inquieta, que tal vez considerara demasiado friki y tenebroso aquel caso. O quizá solo estuviera cansada por el viaje en auto.

Pensando en eso, por fin se quedó dormido, y mientras tanto, el sol comenzaba a aparecer.

Hans no sospechó que era el propio asesino de Green Bank quien lo acechaba, y quien además disfrutaba haciéndolo. Era el asesino quien antes se había encargado de dañar la lámpara de la cabaña para que se produjera el cortocircuito. Quería ver las reacciones de Hans y su rapidez ante el peligro. Se sintió complacido porque le pareció un hombre de rápidos reflejos el que pretendía cazarlo, por como lo había visto actuar, y eso le agradaba.

9

A LAS SIETE de la mañana detuve el auto en un lugar desde donde podía ver la puerta de la casa de Robert y Grace. La vi salir sola, luego de una hora, y pensé que había tenido suerte. La seguí. Fue a una pequeña iglesia católica, que se encontraba en las afueras de Arbovale, y antes de bajar del auto la vi llorar sobre el volante. Era cierto lo que había presentido la noche anterior: era una mujer desesperada. Yo me encontraba dentro del auto, a una distancia prudencial. Desde allí la observé hacer una llamada por el celular. Estaba claro que sostenía una discusión acalorada.

Tomé varias fotos y también un video. Luego la vi entrar a la iglesia y abrazar a alguien. Era un hombre alto y de contextura atlética que parecía cariñoso con ella. Después se fueron a un salón lateral que tenía entrada independiente y se mantuvieron adentro cerca de media hora.

Esperé hasta que salió y decidí cruzarla por la calle, fingiendo una absurda casualidad. Me bajé del auto y caminé lo más rápido que pude, y dando grandes zancadas llegué justo a tiempo cuando ella estaba a punto de abordar su vehículo.

—Hola. ¿Qué hace por aquí? —le pregunté intentando sonar despreocupada.

—Vine a hablar con el padre During. Estoy algo apurada ahora, si no le importa —dijo y acto seguido subió al auto.

En ese momento la vi más alterada que la noche anterior. Me pareció que estaba al borde de un ataque nervioso. Pero a la vez percibía que podía permanecer en ese borde largo tiempo. Tal vez Grace era como una equilibrista entre los secretos de ese lugar. Resolví dejarla ir, no presionarla, y entonces algo dentro de mí me dijo que debía hablar con quien no podría negarse a atenderme; el mencionado padre During.

—Hasta luego —le dije con simpleza.

Creo que no se esperaba eso. Tal vez pensaba que iba a intentar detenerla y hablarle. Cuando se dio cuenta de que esa no era mi intención, entonces bajó la guardia y se calmó. Terminó de cerrar la puerta del auto, pero luego abrió la ventanilla.

—Disculpa, es que estoy retrasada y debo llevar a los niños al parque. Pero tienes mi número de celular, ¿verdad? No, creo que no te lo di. Pero puedo registrar el tuyo. Espera —me dijo Grace.

La vi rebuscar el celular en el auto, y me fijé en sus delicadas manos, en sus cuidadas uñas pintadas de color naranja claro, y en los anillos que adornaban sus dedos. La mayoría eran dorados. Me fijo en las manos de las personas tal vez porque las mías me desagradan.

Le dije el número de mi celular.

—Gracias, ya lo tengo. Que pases un buen día. Y que todo se arregle pronto —me dijo intentando esbozar una sonrisa. Tal vez pensó que lo había logrado, pero yo sabía reconocer su falsedad.

Me despedí y caminé en dirección a la entrada de la iglesia, a pocos metros, mientras planeaba lo que le diría al sacerdote.

Antes de entrar, volteé para mirar el auto de Grace y la vi detenerse junto a una mujer de extraña apariencia que venía caminando por la calle en dirección a la iglesia. Grace detuvo el auto y se bajó. Miró a ambos lados de la calle, yo tuve la precaución de ocultarme tras unas ramas cerca de la entrada. Le dijo algo a la mujer y ambas subieron al auto. Pensé, por la apariencia de la caminante, que era alguien sin hogar. Supuse que parte de las acciones de los Beresford tenían que ver con algún tipo de beneficencia local.

Lo cierto era que Grace parecía guardar un secreto que la atormentaba, al punto de aterrarse con nuestra visita y de irse a hablar con quien podría ser su consejero espiritual. Después de todo, tal vez la escultura de su casa sí era una imagen religiosa.

Salí de mi escondite, acomodé mi blusa blanca alisándola hacia abajo, me despejé el pelo de la cara y me dispuse a encontrarme con el sacerdote. Me presentaría como colaboradora del FBI en el caso de los hombres decapitados de Green Bank.

Toqué a la puerta del despacho parroquial y el mismo hombre que vi saludar efusivamente a Grace me abrió.

—Hola. ¿Puedo ayudarte? —me preguntó con amabilidad.

—Buen día. Soy Julia Stein, del FBI.

—Claro. Entiendo que está aquí por lo que ha pasado en el bosque. Es terrible. Vamos a sentarnos para poder conversar mejor —me dijo.

Nos dirigimos a una pequeña terraza interna que estaba

llena de flores multicolores que rodeaban una discreta fuente. También había una moderna escultura de un santo que no supe reconocer. Me quedé mirando dos patos de plumaje azul que bordeaban el estanque.

Me invitó a sentarme en un banco, a la sombra de un bonito ciprés.

—Soy Lucien During, el párroco, aunque ahora no lleve sotana y no lo parezca. Me da mucho gusto conocerte, Julia. Creo que es la primera vez que hablo con una agente del FBI.

Sonreí.

—Es muy poco lo que puedo ayudarte, pero haré lo posible. Lo que puedo decirte es que hay mucha confusión y mucha ira en Green Bank.

—¿Por qué lo dice? —pregunté, frunciendo el entrecejo y realmente interesada.

—Los nuevos grupos que hacen vida en la zona son puristas, y algunos, radicales. Eso no es una buena combinación. Pero creo que sabes a lo que me refiero, trabajando en donde trabajas.

Le pregunté, fingiendo despreocupación, si quien iba saliendo era Grace Tennant Beresford. El párroco me respondió que efectivamente se trataba de ella, pero no me dijo nada más.

Me pareció un hombre agradable. Era la primera persona que me causaba esa impresión en Green Bank.

Continuó hablándome de cuánto había cambiado el lugar desde que él llegó hacía unos años, y definitivamente parecía preocuparle ese cambio. En cuanto a los asesinatos, estaba convencido de que era alguien de afuera. Decía que no podía ser alguien que él conociera. Me provocó decirle que ese recurso de considerar enemigo a un sujeto externo era demasiado utilizado por quienes no querían aceptar la realidad, pero me contuve. Después de todo, era un sacerdote y, si se creía su papel, estaba destinado a confiar antes que imaginar lo peor de los semejantes. Yo conocía el lenguaje y la ideología de su religión. Crecí en ella, pero junto a mi hermano Richard, el demonio en persona.

Finalmente, me levanté y me dispuse a irme.

—Ah, padre During, quisiera pedirle un número de contacto, por si me pudiera ayudar más adelante con algún dato sobre sus feligreses.

El sacerdote buscó algo en el bolsillo interno de su saco, pensé que iba a sacar su celular, pero eran sus lentes.

—No puedo leer sin ellos —me dijo, con una leve sonrisa. Anotó el número en un pequeño papel y me lo dio.

No pude sacar nada más de esa breve entrevista, pero me encantó el patio donde tuvo lugar. Conseguí tranquilidad y ni siquiera sabía que la necesitaba.

Era muy temprano para irme a la cabaña de Hans, así que decidí volver al hotel. Mientras lo hacía, pensaba en Grace y en esa mujer que recogió en la calle. Tal vez he debido seguirlas y no quedarme en la iglesia, pero me pareció más sensato hacer eso porque ya la había puesto sobre aviso y ya ella sospecharía que podría espiarla.

Apenas entré en la habitación, recibí una llamada de mi amiga Madison, quien era la única que sabría dónde estaría y lo que estaba haciendo. Me dijo que Frank se las había ingeniado para llamar a la Dirección de Servicios Sociales donde trabajé, desde su sitio de reclusión, y había preguntado por mí.

—Me ha dicho que te transmita un mensaje. Dijo: «Sé lo que pasó con Richard».

No pude continuar hablando y corté la comunicación con

Madison. Llamé inmediatamente al doctor Lipman porque no quería volver a sufrir una crisis de pánico al recordar el ataque de Frank. Él me escuchó y me dijo que yo sabía lo que debía hacer. Le di las gracias por calmarme al cabo de unos minutos y me despedí.

Entonces me invadió la idea de que si estuviese solo a unos kilómetros más allá de «la zona silenciosa» no podría utilizar el celular ni hablar con Lipman. Comprendí que aquel lugar era una prisión aislada, allí no podría pedir auxilio.

Frank había llamado para decir algo realmente imposible. Él no podía saber la verdad sobre lo que había pasado con Richard.

Sentí lágrimas en mis ojos y un temblor inesperado atacó mi rostro, alrededor de los labios.

PARTE II

1

SENTÍ el aire fresco frente a la ventana abierta de la habitación del hotel. Quería ocuparme del caso y olvidarme de Frank. En ese momento sonó el celular sobre la cama. Era un mensaje de Hans:

«Cambio de planes, adelántate tú a ver a Jeremy Archer y a Laurie Bloom. Aquí va la dirección. Nos hablamos a las cinco. Recuerda que, por el momento, deben pensar que los entrevistamos como testigos residentes y no como sospechosos. No corras riesgos innecesarios».

Supuse que había descubierto algo acerca de la identidad de las víctimas, y que no debió haber dormido en toda la noche. Me alisté y tomé el auto. La interestatal me llevó hasta una bifurcación que indicaba la entrada que debía tomar. Conduje por unos minutos en una vía con altos abetos a ambos lados. Llegué al lugar donde cruzaría a la derecha y tomaría una carretera más angosta. El bosque era como una telaraña verde, que me hizo recordar el muro de la casa de Robert Ferguson y Grace Beresford. ¿Qué sería lo que le pasaba a Grace? Tan dulce y refinada, pero muerta de los nervios.

Al fin llegué a la cabaña de Jeremy Archer. Estaba apartada de las otras casas que vi al pasar, cerca de la carretera 92, pero media milla más adentro, junto a un riachuelo.

Estacioné el auto al lado de una cerca baja y blanca, y caminé por un sendero hasta la puerta. Era un bonito paraje. La cabaña de madera oscura y amplias ventanas se encontraba rodeada de arbustos tristones, y dos píceas azules frondosas a los lados. Recuerdo que me dije que de mayor podría vivir en un lugar similar.

Cuando estuve a punto de subir los tres escalones que me conducían a la puerta, escuché un ruido a un lado de la casa. Esperé y vi aparecer a una mujer rubia, de cara ovalada y grandes ojos color cielo. Llevaba un vestido de franela azul marino, de mangas cortas con detalles de seda y punto en los bordes. Lo que más me llamó la atención, además de sus ojos, fueron sus anchas espaldas. Tenía cuerpo de nadadora. Cuando Jimmy, mi exnovio, veía a una mujer así se sentía inhibido y yo disfrutaba de esa incomodidad en él.

—¿Puedo ayudarle? —preguntó y sonrió luego, como si estuviese posando para una selfi.

Soy Julia Stein, del FBI —dije y le enseñé la identificación. Todavía me costaba trabajo acostumbrarme a ella y la saqué con torpeza del bolsillo.

—Soy Nora Clement. ¿Está aquí por esos horribles asesinatos que nos traen a todos de cabeza? Entremos en casa para conversar mejor.

Pensaba que la gente al oír «FBI» debía inquietarse, pero ella se lo tomó con tal naturalidad que me sorprendió.

Caminó delante de mí y subió los escalones. Me fijé en las Converse negras que calzaba y en sus pantorrillas torneadas que mostraban unos arañazos recientes. Su voz —algo grave — me distrajo.

—Siempre supe que el pobre Thomas no había hecho nada. Se lo dije a todos un millón de veces, pero la gente cree lo que quiere, y aquí deseaban pasar la página y no sentirse amenazados por un loco suelto con un hacha.

Abrió la puerta de la casa y enseguida endulzó el tono.

—¡Hola, Renata! ¿Has comido?

Esas palabras fueron seguidas de dos maullidos.

Entró en la cabaña y yo lo hice después. Entonces se me quedó mirando cuando pasé a su lado, y volvió a sonreír.

—¿Sabe? Usted se parece mucho a mi hermana Molly. Es impresionante la semejanza, de verdad. ¡Pero es que es extraordinario! Ella es mayor, claro, pero es su cara de hace diez años. No está por aquí, porque de estarlo, le aseguro que pasaría un susto al verla. Es tanto así que estoy segura de que cuando Jeremy la vea, hasta puede que se confunda por unos segundos. ¿Cómo alguien puede parecerse tanto a otra persona? Eso me inquieta, y no estoy hablando de nada dramático.

—Ya —respondí.

Tal vez estaba esperando mayor formalidad en la manera de recibirme. La verdad es que no sabía qué esperar. Era la primera vez que me presentaba como agente y sin Hans a mi lado, pero en el fondo me gustaba la experiencia de ir a visitarlos sola.

—Mi hermana vive en Boston con su familia y yo, en cambio, vivo en Washington con Renata, desde siempre — comentó Nora.

Ese «siempre» fue sugestivo. La entonación al decirlo era como si le pesara. También me llamó la atención que no contara a Jeremy Archer como su compañero, sino solo a

Renata. Quizá no vivían juntos y habían acordado juntarse en este viaje. Podrían estar probando la convivencia.

Tomó la delantera nuevamente, andando por un pasillo que al final desembocaba en una salita. En la pared frontal colgaba una máscara que me pareció india. Pasamos junto a un mueble de madera y vidrio donde había unas revistas, un candil, unas velas a baterías, un llavero con las llaves de un auto y un pequeño jarrón con flores silvestres que parecían recién cortadas. Nora estaba disfrutando su estadía en aquel paraje, o al menos eso quería aparentar. Esa idea me vino a la cabeza al ver las flores y el arreglo del lugar.

Escuché un nuevo maullido, esta vez más lejano, y supuse que la gata estaría en la cocina, husmeando. Me acordé en ese instante de mi gata Bernarda. Era lo único que extrañaba de Wichita. Y también a Madison, un poco.

Tuve la convicción de que Nora Clement era una mujer de las que necesitan ordenar a su agrado los lugares que habitan —como una versión más actual de mi madre—, y si Jeremy Archer era el típico «ratón de biblioteca», habría sido muy inteligente al unirse a ella, para que todo estuviese en su lugar. Comenzó a embargarme esa impresión que transmiten algunas parejas en las cuales alguien toma el papel del padre o la madre. Entonces me pregunté por primera vez si era posible que esta mujer estuviese viviendo y durmiendo con un asesino. Parecía olvidar que yo también había hecho eso.

—Venga, siéntese aquí. —Mostró un pequeño sofá con cojines de cuero marrón de dos tonalidades—. ¿Quiere algo de tomar? ¿Un café, un vaso de agua?

—Nada. Gracias —respondí, sentándome.

Ella también lo hizo en una silla frente a mí.

—¿Quiere que le avise a Jeremy que está aquí o hablará primero conmigo? —preguntó Nora.

¿Por qué creía que debía hablar primero con ella? Eso era interesante. No estaba segura, pero pensaba que si las personas eran entrevistadas en casa, como era el caso, lo que esperarían sería que les consultaran acompañados. Tal vez MacLaine y Keaton les interrogaron por separado y ella solo estaba actuando por repetición. No sé por qué, pero de pronto recordé a *Las esposas de Stepford*. Pero la primera película, no la adaptación. Tal vez porque la estancia y ella eran demasiado perfectas.

—Ahora mismo Jeremy está leyendo y transcribiendo unas entrevistas. Eso que ve allí —dijo y levantó el brazo, enseñándome tres cajas medianas llenas de libros que descansaban junto a la pared de la sala y cerca de una puerta—, pues lo trajo consigo. Y eso que solo estaríamos aquí seis meses, pero no va a ninguna parte sin sus libros y sin Bobby. Es lo único que no he podido lograr; que se ordene un poco.

Me sorprendió que dijera eso, pero fue mayor la curiosidad sobre quién era Bobby. Ella pareció leer mi mente.

—Bobby es un pequeño robot de colección de los años cincuenta. Lo pone siempre sobre el escritorio que esté usando, da lo mismo dónde; en Berkeley, aquí, allá...

Sonreí y le respondí.

—Primero conversaré con usted. Quisiera preguntarle algunas cosas.

Me interrumpió.

—La verdad no sé cómo hacer para ayudarlos. Lo mismo dije al agente John Keaton, hace dos días. Jeremy ha venido a estudiar y escribir, y yo solo a acompañarle; también quería hacer un alto en mi trabajo. Soy propietaria de una empresa de diseño de interiores en Coco Circle, junto con mi amiga Eleonor, pero la verdad es que necesitaba un descanso. Y no estoy enterada de nada de lo que pasa aquí, más allá de esta casa, de los paseos en bici, las fotos que me gusta tomar y la naturaleza. Hablo poco con la gente. Me gusta el bosque, pero no me gusta la gente de los pueblos porque son muy conservadores. Así que en estos meses he visto muchos más pájaros, flores y árboles que a cualquier ser humano. Incluso al mismo Jeremy. Se pasa horas encerrado escribiendo porque está en la fase final de su investigación.

Teníamos cosas en común Nora Clement y yo: el amor a los gatos y el desagrado por los pueblos. Cosas que no son trivialidades, pero había algo en el trasfondo en lo cual estaba segura de que éramos muy diferentes. Se me ocurrió en ese momento la respuesta a mi pregunta: ella sí sería capaz de vivir con alguien sabiendo que es un asesino. ¡Eso era! No sabía de dónde sacaba esa conclusión. Tal vez observé algo en el trayecto a la sala o en su comportamiento que me hizo pensar así en aquel momento.

—Es muy poco lo que he visto, como le dije a los agentes —concluyó.

—Pero ha visto lo suficiente como para afirmar que sabía que Thomas Anderson no era el asesino.

Agrandó los ojos y por unos segundos no supo cómo responder.

Creo que Renata la salvó en el momento justo, porque hizo una entrada escandalosa y rápida, y se le subió a las piernas reclamando caricias.

—Lo que he querido decir —continuó, pero yo sabía que se había tomado los segundos necesarios para ordenar las ideas— es que solo había que ver a ese hombre una vez para saber que no haría daño a nadie. «Es un bienaventurado», hubiese dicho mi abuela, y la cabeza no le funciona como al resto. Eso es todo. Es como si él hubiese sido otra persona o hubiese podido serlo, y ese futuro se le truncó, como si alguien lo hubiese condenado a estar así… en fin, sé que no me estoy explicando con claridad. De cualquier manera, no da la impresión de ser violento, ni mucho menos el asesino que buscan.

—¿Conoce usted a alguien de la localidad que sí dé esa impresión?

—No sé si violenta como para matar con un hacha, pero sí hay alguien que me parece peligroso. Mi opinión podría estar viciada. —Hizo una pausa y acarició a la gata—. ¡Anda! ¡Vete ya, Rena! Anda a buscar tus bichos... —le dijo, y la gata obedeció y se perdió de vista.

Luego volvió a dirigirse a mí.

—Nuestra vecina, Laurie Bloom, no debería estar en la calle, sino en una institución donde la puedan tratar. No la acuso, ni estoy diciendo que sea una criminal, y por eso no comenté nada a los agentes, pero es que ya estoy harta de ella.

—¿Por qué? —pregunté, y después aclaré—. ¿Por qué está harta?

—Porque ha dejado a propósito la puerta abierta de la destartalada jaula donde guarda sus perros y uno de ellos le hirió la panza a Rena. Un horrible perro negro, viejo y con un solo colmillo. Ya le había reclamado un millón de veces que se fijara que esos animales no salieran, pero no le importa que lo hagan y que corran por allí. Su horrenda casa está a casi una media milla de aquí. Las cabañas en esta zona distan bastante unas de otras, pero, a pesar de eso, no me siento segura viviendo más o menos cerca de ella. Y siempre la veo cuando salgo a hacer ejercicios en el parque... Sé lo que está pensando —continuó—, y le aseguro que no es así. Quiero decir que, más allá del problema del perro, no la veo como una persona equilibrada. También ha tenido inconvenientes con la policía, y si usted me pregunta quién podría ser el asesino, yo diría que Laurie Bloom.

Pero yo me había quedado pensando en otra cosa mientras ella hablaba de Bloom. ¿Por qué si Nora Clement afirmaba no hablar con nadie también decía que se había cansado de «afirmarle a todos y un millón de veces» que Thomas Anderson no era el asesino? Antes o ahora, ella estaba mintiendo.

2

El timbre del celular despertó a Hans. Se había quedado dormido más tiempo del que hubiese deseado. Al salir del sobresalto, extendió el brazo hacia la mesa para agarrar el aparato y responder. Todavía estaba acostado en el sofá. Sintió una molestia en el cuello al moverse, un tirón, pero cuando vio en la pantalla del celular que era Bob Stonor quien le llamaba, volvió a tomar consciencia de la urgencia del caso y atendió de inmediato.

—Uno de los hombres asesinados en el parque desapareció cuando era un niño, en 1963. Apenas tenía ocho años.

—¿Qué dices? —lo interrumpió Hans, levantándose de un salto.

—Escúchame. Creemos que se llamaba Leonard Bex y era de Maine. El chico era huérfano y se encontraba en el Centro Médico de esa ciudad antes de desaparecer. La denuncia la hizo Wilma Kepler, una enfermera que afirmaba que el pequeño había sido raptado para utilizarlo en experimentos ilegales, de carácter psicológico y químico.

—¿De dónde sacaba la enfermera esas ideas? ¿Por qué

dices que la víctima era ese chico? —preguntó Hans en voz más alta mientras caminaba de un lado a otro, justo delante de la ventana de la cabaña.

El asesino lo observaba.

—Wilma Kepler murió, pero hemos recibido en nuestra oficina de Maine la visita de la hija, Mia Duval, quien habló con el agente Michael Forbes. Parece que Kepler tenía una obsesión con la desaparición de ese chico, pero nadie la tomó en serio. Y no era para menos; no tenía ni una sola prueba de lo que decía. Una noche el chico llegó y ella habló unos minutos con él, y a la mañana siguiente todos afirmaban que un niño con esas características nunca había ingresado al hospital. Y la institución donde se suponía que vivía el pequeño tampoco existía. Parece que era una persona obsesiva, y por su cuenta comenzó a investigar. Hiló una y otra cosa, y le habló a su hija de un proyecto gubernamental para hacer experimentos con niños. Tú y yo sabemos que se refería a una extensión del proyecto MK Ultra, el programa de control mental de la CIA que hacía experimentos ilegales con jóvenes en los años cincuenta.

—¿Y la hija parece confiable? ¿Viste la entrevista?

—La vi y tengo el reporte del agente Forbes de Maine. Vale la pena profundizar porque ese hospital está incluido en la lista de las instituciones implicadas en aquel asunto. En este momento te estoy enviando la grabación de la entrevista que sostuvo Forbes con Mia Duval.

—¿Cómo fue a dar Duval a la oficina de Maine? —preguntó Hans.

—Por la prensa supo que la primera víctima decapitada tenía un lunar en forma de herradura, casi perfecta, en el cuello. Ya sabes que los detalles se filtran, y recordó que su madre le había dicho que el chico Leonard Bex tenía una marca idéntica. Sé que todo es muy extraño…

—No me gusta —dijo Hans, tajante.

Pero en el fondo estaba satisfecho, pues no se había equivocado en cuanto a los Beresford. Sabía de la participación del general Winston Beresford McCoy, abuelo de Grace Tennant, en actividades de dudosa legalidad y estaba seguro de que, de una u otra forma, tenía que ver con lo que investigaban. La mancha de sangre sobre el nombre de la editorial del libro dejado en la escena volvió a aparecer en su cabeza. Y la escultura con la cabeza rota que Julia había visto en casa de la nieta de Winston también. Eran como ideas fugaces, como *flashes* que resplandecían en su cerebro y que apuntaban directo a la familia del general.

—Estamos revisando la base de datos y las denuncias de niños desaparecidos en esas fechas porque…

—Porque los otros dos decapitados pueden ser chicos que corrieran la misma suerte del pequeño Leonard Bex —completó Hans— y entonces habría que hacer un trabajo urgente con los artistas forenses, y comparar los rasgos faciales de las víctimas con algunos registros fotográficos de niños desaparecidos en esos años. No será fácil. Y eso contando que los chicos estén registrados como desaparecidos.

—Así es. Accedí a un archivo recién desclasificado y uno de los nombres que salió a relucir en ese proyecto, y quien además estaba renuente a acabar las investigaciones, fue el del senador Alfred Beresford.

—Lo sé. Envíame los análisis de todos los archivos electrónicos en torno al proyecto ahora mismo —le pidió y luego cortó la comunicación.

Lanzó el teléfono, que fue a parar sobre uno de los cojines del sofá. Pensaba en aquel proyecto militar de los años cincuenta. Por eso era por lo que algo en este caso le recordaba al asesino serial Unabomber, a Theodore Kaczynski, a quien había logrado entrevistar en una oportunidad y por quien sentía una particular compasión. Porque fue víctima de esos experimentos inútiles y crueles que se hicieron con chicos extraordinarios para lavarles el cerebro y convertirlos en monstruos, a los ojos de Hans. Pensó que tal vez el asesino era uno de ellos, de los sujetos experimentales. Alguien que se les había salido de control.

Pensaba que primero debieron de intervenir en la memoria de los chicos, tal vez con fármacos para inhibir la proteína efexina5 y alterarles la memoria, y luego debieron de haber jugado a discreción con diferentes alucinógenos. Algo así habían hecho antes según los documentos que él conocía. Ahora Hans se decía a sí mismo que si el asesino había sido víctima de Beresford, tal vez lo que quería era acabar con el sufrimiento de los hombres que corrieron la misma suerte. Y les cortaba la cabeza de un golpe para terminar con la agonía, y a la vez hacer un llamado de atención al mundo: ¡La cabeza, la cabeza es lo que está mal, estudien sus cabezas!

—Era posible. Quizá el asesino quería poner la atención en eso, de allí las cabezas separadas del resto del cuerpo, y la mancha en la editorial Beresford; y por eso el bosque como lugar de los crímenes, que había servido de tapadera del experimento. Todo cuadraba —se dijo.

Le escribió un wasap a Julia, sin darle mayor detalle y pidiéndole que fuese a ver a Jeremy Archer y a Bloom, y decidió ir de inmediato a visitar a Katty Beresford, la hija del general Winston y actual cabeza de la familia, incluso antes de ver la entrevista de Mia Duval. No podía perder tiempo; y si Bob, Forbes y el equipo decían que la testigo era creíble, debía serlo. Además, era demasiada casualidad que ese centro médico figurase en la lista de las instituciones pro MK Ultra y, precisamente, de allí dijera la enfermera que habían raptado al chico que nadie más vio.

Miró el bosque a través de la ventana de la cabaña y lo

hizo con otros ojos. Ese verde humoso de las hojas a media mañana, que iría tomando intensidad a medida que avanzara el día hasta volverse casi fosforescente, había podido ser el perfecto escondrijo de los experimentos de Beresford. El general había sido hábil porque fue a parar a aquel lugar, muy cerca de su casa, y pudo continuar con lo que el Gobierno le prohibió hacer en otro lado.

De súbito Hans hizo una llamada a la doctora Amelie Tourette, experta forense en quien confiaba totalmente, quien trabajaba en Arbovale. Le pidió que hiciera nuevas pruebas más específicas al cabello de las víctimas del bosque en busca de sustancias alucinógenas; fluoxetina, haloperidol y metilfenidato.

No sabe cómo, pero llegó al auto y lo puso en marcha, abstraído en sus pensamientos.

El asesino lo vio salir de prisa y sonrió satisfecho. Solía amanecer en el bosque, y esa mañana se había subido al tronco de un ciprés cercano a la cabaña de Hans y lo estuvo observando con la cámara, desde el alba, a través de la ventana. Era experto escalando árboles. Se juntaba a las cortezas como si fuera parte de ellas y fantaseaba con que su piel se mimetizaba y su cuerpo pasaba desapercibido. Como aquella vez que jugaba al escondite y se había quedado muy quieto por horas, observando cómo todos los chicos lo buscaban. ¡Menudo susto les hizo pasar! Todavía le hacía gracia recordarlo. Pero la primera vez que dudó si era parte de un árbol o no fue cuando consumió el coctel de metilfenidato que les daban a los chicos en el sótano del bosque, en el búnker que había diseñado Winston Beresford. Aunque, en su caso, las alucinaciones terminaron siendo revelaciones para que pudiera cumplir su verdadera misión.

Fueron otra vuelta de tuerca.

3

Cuando iba a preguntarle a Nora si tenía alguna idea sobre la identidad de las víctimas, escuchamos los pasos de alguien que se aproximaba dentro de la cabaña.

Ella enmudeció y miró hacia arriba, detrás de mí. Volteé y entonces lo vi. A Jeremy Archer.

No había terminado con Nora, pero en ese momento no me importó. Tengo que reconocer que me sorprendió porque no parecía un «ratón de biblioteca», ni un *nerd*, sino un surfista. Era un hombre atractivo que llevaba puesta una sudadera con el escudo de la Universidad de Berkeley. Alto, con el pelo negrísimo recogido en una cola, la piel bronceada y un tatuaje azul marino y negro en el brazo izquierdo con una forma tribal que creí haber visto en otra parte, pero que en ese momento no precisé. Entonces comencé a entender un poco más a Nora Clement: el hombre la había descolocado, porque esta mujer pertenecía a otra parte, debía de estar en su empresa de Coco Circle o diseñando espacios urbanos y no en esa cabaña en un lugar perdido del país. Solo había venido porque estaba loca por él.

Jeremy Archer caminaba hacia mí. Fue cuando me levanté y esperé a que se detuviera a mi lado. Lo hizo y me tendió la mano.

—Mucho gusto —dijo, mirándome fijamente.

—Soy Julia Stein, del FBI.

Me tardé en moverme para sacar mi identificación, pero me detuve porque noté por una expresión que hizo, unas arrugas en la frente y la forma de mirarme, que no era necesario.

—Cariño, ha venido por lo de los muertos del bosque. Aún no dan con el culpable —dijo Nora.

—Siéntese, por favor. Parece usted más joven —dijo Jeremy.

—¿Más joven?

—De lo que uno esperaría.

—Aparento menos edad de la que tengo —le respondí con una ligera molestia.

—Eso es muy bueno —dijo Nora, divertida, y entonces la miré y noté que había cambiado, como si ahora tuviese que fingir.

—¿Segura que no quiere café? —me preguntó otra vez.

—Ahora sí me gustaría esa taza de café —respondí.

Ella se levantó y se fue. Jeremy se sentó en el lugar que dejó Nora y yo volví a ocupar mi puesto. Con la mirada fija en su espalda, él la vio salir de la sala.

—Bien, usted dirá —dijo volviendo su atención hacia mí.

Noté que su voz era un tanto aguda y no cuadraba con su apariencia en general.

—Queremos profundizar algunos aspectos más allá de las preguntas de rigor que les hicieron los agentes MacLaine y Keaton.

—De donde se concluyó que yo no tenía una buena coartada para las horas en las cuales estaban cortando cabezas en el bosque. ¿No? Al menos Nora está fuera de sospecha porque el 19 de octubre tuvo que ir a Washington por un asunto en su empresa.

Era un hombre cínico, irreverente, pero parecía inteligente.

—¿Qué opina de Robert Ferguson? Supongo que lo conoce…

Él enarcó las cejas.

—¡Vaya! Sí que son diferentes sus preguntas. Aquí todos nos conocemos. Green Bank es uno de los pueblos más pequeños y menos poblados del país. ¿Qué opino? ¿En general?

—Más bien me interesa su opinión sobre el libro que encontraron junto al último cuerpo hallado en el bosque, más cerca de aquí. Es un hecho que todo el mundo conoce ese detalle gracias a la prensa —le dije.

—Esos zorros son rápidos. En primer lugar, creo que a Ferguson le ha venido muy bien que encontraran ese libro allí. Es una macabra promoción, pero debe ser efectiva. Seguro se han disparado las ventas de *Es mejor que no oigan nuestro silencio*. Y en los últimos dos días, es decir, desde que hallaron a ese pobre infeliz decapitado, miles de personas están leyendo o han encargado su librito.

¿Estaba resentido? Estuve a punto de preguntarle cuántos libros había publicado y cuántas personas lo habían leído.

—La gente es morbosa. Eso forma parte de nuestra naturaleza desde el principio de los tiempos —dijo Archer.

—¿Qué piensa de los Beresford, en general? —le pregunté, cortante, antes de que comenzara a darme una clase de antropología.

—Que actúan como los dueños de este lugar porque lo son. Todos se rinden ante ellos porque tienen poder, y a la gente le seduce el poder. Para que me entienda, debe visitar la sede de la fundación que han construido en las afueras de Arbovale. Es una estructura perfecta que parece espacial, que hasta ha dejado sin palabras a Nora que es tan exigente. Tiene que oírla hablar de ello. —Entonces imitó la voz de su novia—: Rótulos no invasivos en las paredes, colores en armonía, ambientes iluminados... —dijo y luego continuó, pero dejando ya de imitarla—. Es una preciosidad en verdad, pero por sobre todo es el símbolo de la superioridad de los Beresford, para que le quede claro a todo el mundo que ellos pertenecen a la cúspide. Yo me sentiría asfixiado si trabajara allí adentro. Para mí sería como una enorme jaula, con ese vértice acristalado allá arriba, ese triángulo que se proyecta hasta el cielo...

En ese momento pensé que el ego de Jeremy Archer era todavía más alto y brillante que la jaula de los Beresford que estaba describiendo.

—Pero no creo que ellos tengan que ver con lo que ha pasado, aunque sé que el asesino es de aquí.

—¿Sí? ¿Por qué? —pregunté de inmediato.

—Porque se siente cómodo en el bosque, y eso solo puede sentirlo quien lo conoce. Es que no ha hecho usted la pregunta que yo creo más interesante: ¿por qué este asesino decapita a sus víctimas en medio del parque? Y más interesante aún: ¿por qué las decapita? Lo primero responde a la identidad del criminal: es alguien que conoce el bosque como la palma de su mano y sabe que en la actualidad la zona más cercana a Green Bank, que va desde el montículo que interrumpe la carretera hasta el río, no es muy visitada, y que solo después del cortafuegos, más allá del río, es posible encontrar exploradores.

—Usted parece conocer el parque muy bien —le dije. La afirmación era tal vez muy directa, pero a él le pareció divertida.

—Lo conozco bastante. —Cruzó las piernas y me miró con picardía—. Los fines de semana salíamos Nora y yo por allí, y ya hemos identificado al menos tres lugares bellísimos para pasar el día. Nora cocina de maravilla y llevamos las cestas... Ella en realidad lo hace todo bien —dijo como si eso fuera un defecto. También conocemos las rutas de bici y a veces vamos en plan de fotografiar el paisaje.

—¿Por qué hace su investigación sobre la Comunidad de Estudio Extraterrestre? —le pregunté, cambiando de tema.

—Porque siento un gran respeto por ellos. Poseen una capacidad, más bien, una predisposición a la comunicación bastante atípica en estos tiempos. Me resultan interesantes sus maneras de ver el mundo, la cosmovisión que tienen y de dónde la han sacado, y el optimismo con el cual se enfrentan al futuro. Puedo indicarle varios *papers* que he escrito para que me siga, si le interesa.

—Gracias. ¿Registra las entrevistas que les hace a los miembros?

—Así es.

—¿En grupo o individuales?

—Ambas —dijo Archer.

—¿Podríamos acceder a los registros?

Cuando iba a responderme, escuchamos el sonido de varios objetos caer contra el suelo y algo, tal vez de vidrio, hacerse añicos.

Era Nora, que había dejado caer la bandeja con las tazas de café.

—Cariño, estás distraída en estos días —dijo entre complacido y burlón.

—Lo siento, perdonen. Me he tropezado con la alfombrita. Algo me decía que debía guardarla o ponerla en otro lado, esa que compramos en Bruselas que nunca terminó de gustarme del todo. Da igual. Ya recojo este desastre.

Miré hacia donde Nora había dejado caer la bandeja y me di cuenta de que estaba bastante apartada de la alfombra.

—La agente Stein me preguntaba por los Beresford. —Me miró y continuó—: Le decía que eran los dueños de todo esto, y que Grace era una mujer excepcional. Y que valía mucho más que todos ellos juntos con esas ínfulas, porque ella es de verdad brillante.

¿Este tipo está loco? ¡Qué forma de mentir! ¿Cuál es la razón por la que Jeremy ha mentido a Nora al hablar de Grace?

Desvié por instinto la mirada hacia donde ella estaba recogiendo la última taza hecha añicos sobre la mancha de café en el piso. La expresión de su cara no me dejó duda; se moría de celos. Levantó la mirada y me apuntó. Como la cámara del ascensor grabándome en aquel momento de emoción. Eso mismo debió de experimentar Nora, ese desconcierto por haber sido descubierta en el preciso instante en que un sentimiento intenso se nos refleja en el rostro.

—Buscaré más café —dijo como si nada hubiese pasado, como si no fuera presa de una pasión ciega.

4

Cuando Hans llegó a la casa de Katty Beresford, todavía no sabía cómo iba a encararla. Tenía la certeza de que las víctimas habían sido llevadas al bosque de Green Bank por orden de su padre para experimentar con ellas, aunque por ahora solo contaran con el testimonio de la hija de Wilma Kepler para sostener esa presunción.

Era cuestión de tiempo poder probarlo —se decía a sí mismo—, pero luego le surgieron algunas dudas: ¿y si no era así?, ¿y si los Beresford se habían encargado de borrar todas las huellas del asunto?

Ellos les dijeron a MacLaine y Keaton que no tenían idea de quiénes eran los hombres decapitados, porque evidentemente no tenían ninguna intención de confesar. Parecían sentirse seguros y para nada intimidados con la presencia del FBI. La otra posibilidad era que Winston hubiese actuado a espaldas de su familia. Pero no lo creía, porque alguien había mantenido a esos hombres vivos y en el bosque hasta sus recientes asesinatos.

Hans entendió que se le acababa el tiempo para decidir

qué decir a Katty Beresford cuando giró a la derecha y quedó en frente de la reja de la casa donde vivía. Decidió jugarse todas las cartas y no esperar a tener pruebas, porque tal vez estas nunca llegarían. Comenzaría por preguntarles si tenían idea de la razón por la cual el homicida había dejado el libro de Ferguson en la escena. Y luego, cuando bajaran la guardia, atacaría con un tiro certero.

Tocó a la puerta. El propio Stephen Millhauser abrió. Hans lo sabía todo sobre él: buena familia, buen abogado y buenos amigos. Todo lo que se esperaría de un hombre que se casase en segundas nupcias con Katty Beresford Lewis, a los años de enviudar, tras la muerte del padre de Grace.

—¿Stephen Millhauser? Soy el agente Hans Freeman del FBI. Necesito conversar con usted y con su esposa.

Hans mostró la identificación con destreza. El hombre la miró como un lince y luego le dio la mano, cordialmente, pero Hans supo que estaba alerta.

—¿Es por el caso del asesino serial? Mala cosa. Todavía no lo creemos posible.

—Suele pasar. No estamos preparados para enfrentar estos hechos, ni siquiera para imaginarlos, hasta que suceden justo en frente de nuestras narices.

—Sí —respondió Stephen siguiéndole la corriente, pero su atención parecía estar en otra parte, haciendo algún cálculo. Hans se dio cuenta porque inclinó levemente la cabeza hacia la izquierda y tardó un par de segundos en continuar hablando—. Hay que hacerle frente, y mientras más pronto se resuelva, mejor para todos. Venga conmigo. Es una mañana agradable y Katty quería aprovecharla. Está terminando de desayunar en el jardín, pero no tendrá ningún problema en conversar brevemente con usted. A mí casi no me encuentra porque es mi día de ejercicios en el parque. Está maravilloso en otoño.

—¿Conoce usted el bosque? ¿Suele adentrarse en él? —preguntó Hans en un tono policial.

—Lo conozco lo suficiente —dijo Stephen mientras, con la cabeza abajo, sonreía. Luego desdibujó la sonrisa, levantó el mentón y miró unos segundos a Hans. No lo hizo a la cara, más bien dirigió la mirada a la altura de su pecho. Quizá se fijó en su camisa arrugada, porque era un hombre que valoraba la apariencia, o tal vez estuviese preocupado y no quería que el agente lo notara. Hans no lo supo con certeza.

Luego tomó la delantera, para guiarle en silencio. Era evidente que no quería decir una sola palabra más hasta que estuviese con su esposa.

Atravesaron el interior de la casa y salieron por una puerta ventana al extenso jardín.

Allí estaba una mujer elegante sentada a la mesa, en la terraza cubierta.

Ella miraba a Hans acercarse. Era un desconocido, pero no tenía dudas de que era un agente federal. Incluso parecía que lo hubiese estado esperando.

—Agente Hans Freeman, FBI —dijo dándole la mano cuando llegó a su lado.

—Mucho gusto —respondió Katty—. Sé lo que le trae por aquí y, lamentablemente, es algo muy desagradable para nosotros, y nos sentimos impotentes por no poder hacer más.

Stephen le indicó a Hans una silla junto a Katty, y él ocupó la otra que se encontraba del lado derecho. Al sentarse, la mirada de Millhauser buscó una pequeña bandeja de plata que había sobre la mesa con un blíster de medicamentos y un vaso ya vacío.

—¿Sabe, agente? Esto que ha pasado nos tiene impresionados. Hasta he vuelto a sentir esos horribles dolores de cabeza —dijo ella.

Stephen tomó la mano de Katty por unos segundos y

luego la soltó con suavidad. Hans pensó que estaba frente a una mujer poco afectuosa y calculadora, lo que podría hacerla en muchas ocasiones hipócrita. Ese gesto de cercanía de su esposo —tan discreto y medido— parecía ser el resultado de un largo proceso de aprendizaje, como los que enseñan a las ratas de laboratorio para que consigan el alimento en algún recodo del laberinto de la caja.

—Me han quitado un tumor cerebral hace años y desde ese entonces no había sentido estas intensas migrañas —dijo entrecerrando sus ojos grises. Después de una pausa volvió a abrirlos y continuó—. No tenemos idea de la razón por la cual ese demente ha dejado un ejemplar del libro de Robert en ese lugar. Es todo tan irreal.

A Hans le pareció inusual el uso de ese adjetivo. Y no tan inusual la referencia a la enfermedad, porque con ello tal vez pretendía crear empatía, mostrar un rostro humano y desviar su atención, o parecer confiable. Era una mujer inteligente.

—Han querido hacernos daño, Katty. Aunque intenté calmar a tu madre y ni siquiera se lo mencioné, eso es lo que creo —intervino Stephen.

Katty le dirigió una mirada comprensiva a su esposo y se sintió en la necesidad de ampliar la explicación a Hans.

—Stephen se refiere a que mamá ha llamado por teléfono hace unos instantes para hablar sobre el libro de Robert, y he tenido que pasarle el celular a él porque algunas personas cuando se alteran no pueden callarse, y lo peor es que tampoco escuchan.

«Y usted es exactamente lo contrario», dijo Hans para sí. Se preguntó cómo habría sido la relación de ella con su padre, el rígido Winston Beresford McCoy, y cómo sería ahora con su madre.

—Pero la verdad es que todo esto nos ha desconcertado hasta el punto de que ha logrado quebrar mi rutina.

—¿Por qué lo dice? —preguntó Hans con interés.

—Es que es tan insólito que haya alguien asesinando gente en este bosque. Es tan desolador que no he tenido ganas de ir al parque ni al club, y hasta he dejado el libro que estaba leyendo tan entusiasmada.

—Ahora está interesada en estudios de comunidades precolombinas. Parece que los temas antropológicos han ido ganando espacio, y los astronómicos, perdiéndolo —opinó Stephen.

—No es así. Sabes que mi vida sigue siendo el programa de educación espacial que llevo con Grace. Lo que pasa es que he ido descubriendo cosas interesantísimas en la historia de América que…, bueno, pero no es momento de distraer al agente Freeman con eso. Debemos concentrarnos en lo que él desee preguntarnos.

Al nombrar a Grace, Hans descubrió una variación en la voz de aquella mujer equilibrada y un tanto banal; y concluyó que no solo la quería, sino que sobre todo estaba orgullosa de ella. ¿Qué pensaría de Robert Ferguson? Era inteligente, y debía saber que el sujeto era un mediocre y un oportunista.

—¿Han visto alguna cosa inusual o fuera de lugar en estos días en Green Bank? —preguntó Hans.

—La verdad es que salimos muy poco de casa. Estamos de cabeza en la fundación, sobre todo en las mañanas. Me refiero a mi hija y a mí. Cuando yo llego, ya ella lleva horas trabajando, y no sé cómo lo logra. Es muy capaz. Stephen viaja con frecuencia a Washington. Claro que nos reunimos eventualmente con gente de la comunidad, sobre todo en la escuela, en el observatorio y en la misma fundación, pero no hemos visto ni oído nada distinto a lo que se oye por aquí en la actualidad.

—¿Y qué es lo que se oye por aquí en la actualidad? —preguntó Hans.

—Las personas que han venido a vivir en Green Bank y Arbovale son muy singulares —dijo Stephen.

—¿Tanto como para cometer estos asesinatos?

—¡No lo creo! Son inofensivos. Solo tienen ideas radicales y algunas veces hay conflictos. Yo desconfío de cualquier cosa que sea radical, pero tampoco es para que anden por allí cortando cabezas —dijo Stephen.

—¿Y entonces cómo cree usted que es la persona que ha cometido estos asesinatos? —preguntó Hans, pero esta vez a Katty.

—Alguien que considera que ese acto horrendo de cortar cabezas es una obligación —respondió ella.

Stephen endureció el semblante y Hans lo notó de inmediato. Parecía estar analizando el alcance de esa respuesta. No entendía por qué su esposa había querido decir eso precisamente a un miembro del FBI, y le parecía peligroso que lo hubiese hecho.

—Me refiero a los guerreros. Hay alguien que cree que está librando una batalla. Y también está la historia bíblica, la de Ruth. ¿La conoce? ¿Es usted practicante de alguna religión? —preguntó Katty.

—Soy agnóstico. Pero conozco sobre varias religiones, por mi trabajo. Sobre todo, he estudiado cuando las religiones se hacen peligrosas. ¿Usted cree que en estos asesinatos hubo complicidad? ¿Que no sea un asesino, sino dos o tres que pertenezcan a un grupo con determinadas creencias? ¿Tal vez religiosas? Sé que lo que diga será solo su opinión, pero me gustaría conocerla.

—Le interesa conocerla porque somos de aquí, le entiendo. Porque somos casi los árboles más viejos de este bosque. Así se sentía mi padre, y su padre antes, y el padre de este, hasta llegar a los primeros miembros de mi familia que veían entre esos mismos árboles y tierras a los indios *powhatan*.

Quiere usted contar con la visión de la gente de aquí, y le entiendo y se lo agradezco. —Hizo una breve pausa y siguió —. Pues no sabría responderle a la pregunta, pero si tuviese que decir algo, sería que estos asesinatos son obra de una sola persona convencida de algo. Conocemos a los grupos de Green Bank, como ha dicho Stephen, y son inofensivos. Yo diría que necesarios. Es bueno mover las creencias, cambiar de rutinas, preguntarse si realmente necesitamos estar pegados a un celular o a una computadora a cada rato. No le veo nada de malo a eso. Y tampoco he visto nada negativo en el grupo de estudio de la vida extraterrestre. Muchos de ellos nos apoyan en la fundación. Enloquecieron cuando organizamos una actividad con la presencia de la actriz Jodie Foster, y más aún con la posibilidad de formar parte del viaje espacial para civiles. Tenemos reservado un cupo. Y sobre todo les encantan los cines foros con esas películas maravillosas. Lo que pasa también es que yo soy una apasionada del cine desde niña. Sí es cierto que algunos pertenecen a una especie de religión ovni que no hemos logrado descifrar del todo, ¿verdad? Stephen...

El aludido se quedó en silencio y le sonrió.

—Es que él no cree en nada. Digamos que el espíritu de Stephen es demasiado práctico —completó Katty.

Había llegado el momento de atacar, pensaba Hans. Ya se notaban confiados. Entonces, cuando iba a preguntarles si habían oído hablar del proyecto MK Ultra, lo vio. Un llavero sobre la mesa, hecho de madera. Estuvo allí todo el tiempo al frente de sus ojos. Un triángulo atado en las puntas, esta vez con cordeles pintados que asemejaban hojas de árboles. Una simple figura geométrica, pero idéntica a la pieza que él había encontrado en la terraza de la cabaña.

—¿Han oído ustedes hablar del proyecto MK Ultra? —preguntó Hans, posponiendo la reflexión sobre la importancia de aquel objeto, y sin perder detalles de la expresión de Katty Beresford.

Pero fue Stephen quien respondió de inmediato.

—¡Claro! Nunca debió de acabarse. Era maravilloso, ¿verdad, Katty?

5

HANS NUNCA ESPERÓ ESA REACCIÓN. Pero Stephen Millhauser no era ningún estúpido.

—¿Han tenido ustedes algo que ver con ese proyecto?

—Mi padre, pero eso usted ya lo sabe. Y creo que, en parte, por eso está aquí —respondió Katty.

—Winston fue un visionario. Pero nosotros hemos continuado sus ideas, de alguna forma. No seas tan modesta, Kat. Eso sí, todo ha sido legal y voluntario.

—Algunos documentos desclasificados comprueban que el proyecto comprendía secuestro de niños —comentó Hans.

—¡Qué va! Claire, la madre de Katty, podría explicárselo todo. Lamentablemente es un tema que ha tomado un camino político. Hay gente que ha querido generar una matriz de opinión negativa en torno a este tipo de estudios. Creo conocer alguno de esos informes, y tal vez hay algo de cierto, pero no en nuestro caso.

—¿Por qué está tan enterado de todo? —preguntó Hans a Stephen.

—Porque él sabe más sobre mi madre y sobre la familia que yo misma —respondió Katty, sonriendo.

—Es que antes trabajé con Claire Lewis, en Washington —explicó él.

—Ahora eres tú el humilde. Mi madre no caminaba sin preguntarle a Stephen en qué dirección había que hacerlo.

—Y muchas veces hablamos sobre ese tema, sobre el proyecto educativo de Winston —completó Millhauser.

Hans se encontraba analizando la nueva posición. Ellos no negaban nada, solo definían el proyecto, al menos en su participación, como totalmente transparente y legal. Había sido una jugada preparada y hábil. Se disponía a continuar recibiendo las justificaciones que los Beresford tenían ensayadas mientras diseñaba el contraataque.

—Los padres de acogida o las instituciones que guardaban la custodia de los pequeños permitían la incorporación de ellos en nuestras actividades porque estas contribuían a su formación. ¿Por qué no iban a permitirlo? Nadie anda por allí ofreciendo recursos y, lo más importante, mostrando interés por los chicos sin familia. Nos hemos convertido en un mundo indolente. En cambio, nuestro programa educativo mejoró algunas vidas. Al menos, como le he dicho, el nuestro, quiero decir, el que Winston manejaba no tenía nada turbio. Si hubo fármacos o prácticas de cualquier naturaleza para doblegar la voluntad de las personas, ni Winston ni Claire tuvieron que ver. Nada de secuestros —concluyó Stephen, tomando el llavero triangular entre las manos y dándole vueltas.

—¿Y cómo explican entonces que el primer hombre decapitado fuera uno de los niños desaparecidos que hemos ligado al proyecto, gracias a nuevas evidencias? —se arriesgó a preguntar Hans.

—No podemos explicarlo, porque eso es imposible. Entiendo

que si hubo gente con intereses militares escarbando en la mente de niños y jóvenes, lo hacían muy lejos de aquí. Hasta me han dicho que hay un listado de hospitales que servían de centros de captación, y ninguno está cerca. Además, de eso hace tanto tiempo… Para mí son puras mentiras. No creo que usted pueda probar eso —dijo Stephen en tono de ligera confrontación.

Era verdad lo que decía. No podía probarlo. Habían pasado muchos años, nadie tenía el ADN del niño; era huérfano; la institución que lo custodiaba era fantasma y los registros del chico no existían, lo cual era muy conveniente para ellos. Solo tenían la palabra de la hija de Kepler, y Millhauser lo intuía.

—Tengo una idea —dijo Katty—: vamos a darle al agente Freeman acceso a nuestros archivos en la fundación para que él comprenda lo que hacemos. Porque lo que hacemos es producto y continuación de lo que hizo mi padre. Es preciso que usted comprenda nuestra filosofía. Lástima que aún no tenemos lista la presentación que estamos trabajando. Es maravillosa, holográfica…

Hans decidió cambiar el rumbo de la conversación porque por ese derrotero lo habían vencido. Seguirían negándolo todo.

—¿Podría hablarme de ese llavero?

—¿Este? —Mostró Stephen—. Disculpe, pero no puedo dejar de moverlo. Es una nueva manía.

Hans había notado cierto temblor en las manos de Millhauser. Tal vez la manía tuviese que ver con esconder algún síndrome que le produjera movimientos involuntarios, para los cuales había que consumir fármacos como los que el proyecto MK Ultra administraba. Tendría que fijarse más, pero ahora le importaba el significado del objeto.

—Es el símbolo de la fundación. Un triángulo equilátero que emula la perfección, y no el círculo, como muchos repiten sin pensar. Significa también la evolución. No quiero adelantarle lo que conocerá de la fundación. Hacer *spoiler*, como dicen los jóvenes. Pero esta pirámide es la representación del único bienestar posible para la especie humana. Algunos piensan que el valor está en la base, la dependencia de los otros, los vínculos y todo eso, pero no es cierto. El bien común no es bueno para nadie en particular la mayoría de las veces. Por eso ponemos la fuerza del proyecto en la educación sobre el poder vital de los planes personales. Así de simple. Hasta los seres que llamamos inferiores tienen planes individuales y se apegan a ellos; son planes netos pero efectivos. Los pájaros son un ejemplo de ello. Sin supresiones ni culpas. Por eso he confrontado a ese padre Lucien During. Ya sabe usted, la culpa católica es el motor de esa poco confiable maquinaria religiosa que, pretendiéndose exquisita, ha terminado siendo reservorio de pedófilos y de toda clase de monstruos —dijo Katty Beresford haciendo alarde de una súbita intensidad.

Para Hans estaba claro: conocía lo suficiente de filosofía como para entender la orientación de la Fundación Beresford. Sabía que ellos no eran solo una familia que tenía poder económico. También tenía poder político e iba por más, y no estaba interesada en pasar desapercibida en la región. Por eso seguramente participaban en proyectos educativos.

—Pensé que la Fundación Beresford trataba temas astronómicos, no…

—¿No psicológicos, éticos y filosóficos? —interrumpió la hija del general—. Ya. Ese es un error muy común. La visión sobre el cosmos es la misma visión que uno tiene de uno mismo, agente Freeman.

—¿Y qué pasa si los chicos del programa no evolucionan como se espera?

—Hay consecuencias —dijo y levantó el brazo izquierdo

con gracia, moviéndolo hacia atrás—. Todo tiene consecuencias.

—¿Hay castigos? —preguntó Hans.

—Hay intentos de nuevas evoluciones, y creemos en el poder de la rehabilitación. Pero todo está en nuestros planes, escrito y justificado. Hemos hecho un proyecto prospectivo a quinientos años y allí detallamos todo.

—¿Conservarán su madre o ustedes los escritos de su padre sobre el proyecto educativo? Tal vez alguna lista de los chicos que participaron en el programa.

—No entiendo qué relación tiene eso con los crímenes. Todas las acciones de los programas Beresford se ejecutan con participantes voluntarios. Si estaban a gusto, ¿para qué iban a irse? Creo que a esos pobres infelices que decapitaron los encontraron en pésimas condiciones y escondidos en el bosque, o tal vez huyendo de alguna amenaza. Nosotros no tenemos nada que ver con eso —replicó Millhauser.

—Me comprometo a buscarlos y entregárselos —dijo Katty para neutralizar el malestar evidente de Stephen. No estaba interesada en que la conversación se tornara tensa. Luego continuó—. Y pensar que esta misma charla la sostuvimos hace unos meses con Robert, aquí en esa mesa, y acordamos escribir; publicar con nuestra editorial; poner los temas de la Fundación Beresford al alcance público para debatir, pero Robert decidió otra cosa al final —dijo en tono despectivo.

Katty había sufrido una transformación, ahora se mostraba más vigorosa y menos equilibrada.

Hans pensó que había mucho polvo bajo la alfombra de los Beresford, pero era cierto que el piso lo mantenían reluciente.

—Entonces, según lo que me han contado, ¿los objetivos

de estos planes formativos dejaron de ser militares y se constituyeron en «civiles»?

—Así es. Tanto para mi padre como para nosotros.

—¿Nunca han utilizado sustancias químicas en los programas?

—Jamás —respondió tajante Stephen y Katty movió la cabeza de un lado a otro.

—Agente Freeman, si quiere usted ahondar en eso, debería apuntar a otro lado —dijo ella en tono de consejo—. No generalizo, pero creo que hay gente que usa el bosque para reunirse y consumir drogas. Hemos planteado en varias oportunidades que debía haber más vigilancia. Porque es cierto que se reúnen, y ya eso es maravilloso, pero lo hacen sin conducción, sin una mínima formalidad en la Comunidad de Estudio Extraterrestre.

—Katty se refiere a que en el bosque tienen lugar unas «asambleas» muy particulares.

—Lo tendré en cuenta —le respondió Hans y cambió de tema—. ¿Cuántas personas se forman actualmente en la Fundación Beresford?

—¿En todos los programas? ¿Aquí o en todo el país? —respondió Stephen, orgulloso.

—¿Es un programa escolar? —insistió Hans, quien había decidido hacerles preguntas cerradas para luego ponerlos en jaque.

—Contamos con seminarios para personas de todas las edades.

—¿Gente de Green Bank?

—Por supuesto.

—Quisiera una lista.

Stephen pensaba que el agente del FBI había llegado a un túnel sin salida y estaba satisfecho por ello.

—¿Cuál era el nombre del jefe de Policía del condado en 1963? —preguntó Hans, fingiendo despreocupación.

—Gordon Eames —respondió Katty sin pensarlo y Stephen se dio cuenta del error que había cometido su esposa, porque él, acostumbrado a rendir cuentas, era más hábil y cauto al hablar que ella. Su mano derecha tembló todavía más y el llavero triangular cayó sobre la mesa, produciendo un golpe seco.

Era el final de la partida y Hans había ganado, de momento. Estaba seguro de que el tal Gordon Eames había sido cómplice de Winston Beresford en el secuestro y posterior cautiverio de los niños en algún lugar del parque Washington, que él iba a descubrir. Si no fuese así, ¿por qué la hija del general tendría ese nombre en la punta de la lengua? Tenía que ser un aliado muy cercano de su padre y también de ella.

6

El asesino cruzó la puerta de cristal el día 19 de marzo, junto con varias personas. Era el día de la inauguración del nuevo edificio Beresford.

Miró hacia arriba y vio la cúspide del triángulo, que le pareció una nave espacial. Se respiraba modernidad y cambio allí adentro. Pero todo era una ilusión, una trampa. Una telaraña pegajosa para atrapar a las mentes más jóvenes, se dijo.

Nadie sabía lo que en verdad pensaba, pues lograba disimular muy bien.

Una mujer se le acercó, ofreciéndole una copa de vino. La tomó, agradeciéndole. Luego, un hombre al cual no había visto antes, se le quedó mirando con curiosidad.

Comenzó a caminar sin una dirección en particular. Escuchaba las voces entremezcladas de los presentes, como piezas de rompecabezas. No deseaba detenerse ni comprender las conversaciones que mantenían las personas con las que se cruzaba a su paso.

Caminó hasta llegar cerca de la fuente, al medio del vestíbulo de la primera planta, justo debajo de la cúspide. Allí imaginó que lograba colgar desde arriba un cuerpo sin cabeza, al revés, con los pies atados. Deseó hacer eso para que todos comprendieran la verdad sobre la familia Beresford. Sintió rabia. Quiso deshacerse de ella y probó el espumante. Frío, dulce, pero no demasiado.

Tuvo la fantasía de que todos se envenenaban, allí mismo, con lo que estaban comiendo y bebiendo. En su cabeza, se contrastaron los recuerdos del oscuro lugar donde habían mantenido a los niños con la claridad de la estancia en la que se hallaba. Los experimentos, las sustancias… y los registros, sobre todo los registros, que ahora estaban en su poder y que serían parte de la venganza.

Ese lugar tan brillante y nuevo, que lucía espectacular, a los ojos del asesino estaba corrompido bajo la sombra del pasado y las acciones de Winston Beresford, y por eso pensaba que era necesario destruirlo, acabar con la influencia de esa familia y volver a empezar a levantar nuevos cimientos en Green Bank.

Fue esa tarde que tomó la decisión de cometer los asesinatos, cuidando que nadie descubriera sus razones.

—Y si alguien, en último caso, conocía la autoría de los crímenes, podría engañarlo fingiendo confusión. Podría decir que no tenía consciencia plena de mis actos debido al consumo de las sustancias —se dijo a sí mismo.

Las voces en el vestíbulo se hicieron más fuertes y varias personas se le acercaron.

Debía dejar los planes para después porque tenía que seguir aparentando. Eso sucedió siete meses antes de que cometiera el primer asesinato.

7

Me pareció que Jeremy Archer había disfrutado el accidente de la bandeja. Volvió a mirar a Nora mientras ella se iba a la cocina, dibujando una media sonrisa. Esperó unos segundos y luego continuó hablándome.

—Debería acompañarnos al concierto en la noche, en el bosque. Es organizado por la Comunidad de Estudio Extraterrestre y por la Fundación Beresford, por raro que parezca esto último. Aunque, sobre todo, ha sido un empeño de Grace. Es una buena oportunidad para hacerse una idea de la comunidad —dijo.

—¿Por qué sería raro que la fundación participara? —pregunté.

—Porque a ellos les gusta dominar. Y en esta ocasión solo se acercaron a la Comunidad y les preguntaron cómo podían patrocinar el concierto. La música es inspiradora para muchas personas y tal vez vieron allí una posibilidad de promoción, pero la verdad es que no la necesitan. Hacen lo que quieren en el condado. Hasta les consultaron las rutas del bosque para señalar la mejor vía de excursionismo. Es como si muchos creyeran que ellos lo saben todo. Podríamos decir que el pueblo, o la parte del pueblo ávido de emociones nuevas, cuenta con dos opciones: o la Fundación Beresford con sus reglas y sus auditorías… que, ¿para qué decirle…? O algo más libre, menos formal, que son las reuniones de la comunidad interesada en la astronomía y los extraterrestres.

—¿Por qué le parece más libre?

—Porque el mundo de intereses de esta última es mayor. Han ido extendiéndose a cualquier tema: la política, el sexo, el género. Al final, la reflexión sobre la vida en otros planetas y los posibles encuentros entre seres diferentes es también una reflexión sobre la forma en que vivimos en este. Así que es un grupo variopinto y muy interesante, más que los borregos de la Fundación Beresford —me dijo Jeremy Archer y esperó a ver mi expresión.

—¿Por qué está tan absorto en su trabajo? —indagué.

—Usted cada vez se pone más interesante. Mi deseo es descubrir qué mueve a las personas a involucrarse en comunidades como esta. Tengo una versión pesimista y hasta catastrofista del futuro. Hay en este momento gente quemando edificios y la razón puede ser cualquiera. Así que me interesa la gente que cree que se puede salvar de esto. ¿Sabe lo que buscan en verdad? Volver a empezar. ¿Y no es eso acaso lo que todos buscaríamos si pudiéramos hacerlo?

Volver a empezar, tal vez en otra familia, tal vez con mi tía paterna, que era una maravilla; quizá haber hablado con más insistencia sobre los maltratos de Richard y no haber vuelto con Frank… Era tentador volver a empezar, y la verdad era que lo que decía Jeremy Archer rompía con la imagen viciada que me había hecho de los grupos que estudian estos temas. No tenía nada de extraño ese deseo. Y era mucho más que pensar si estábamos solos en el universo o no lo estábamos.

—¿Y cómo vuelven a empezar? —pregunté.

—Lo primero que debo aclararle es que la Comunidad es como una franquicia educativa diseñada por el físico teórico Chris Masterson y el psicólogo social y matemático Bruno Tate. Es muy largo de explicar, pero, en resumen, se basa en una reflexión sobre el tiempo, que no es lineal, y nuestra trayectoria de vida. Creen que alguien les está diciendo algo importante, si son capaces de traducir las señales, para vivir su propia épica. Creen que todo cambia de acuerdo con la historia que creas de ti mismo, y eso, la mayoría de las veces, es cierto.

—¿Quién es ese alguien? —pregunté.

—Depende. Si se es pragmático, es un mensaje del futuro de otro ser humano. Si se es religioso, incluso podría ser de un familiar muerto, al cual el mensaje le llegó primero porque están en una dimensión donde son conocedores del futuro, o del mismo Dios. Hay para todos los gustos.

—¿Y qué pasa si ese alguien del futuro te empujara a cometer asesinatos?

Archer entrecerró los ojos como afinando la puntería.

—Lo que pasa es que al final, creas lo que creas, la licencia para obrar de determinada manera la da la misma persona y sus deseos ocultos. Creo que si se es asesino aquí o en otro lado, conseguirás justificaciones para cometer tus crímenes. Además, la Comunidad es genial porque todos vienen de otros lugares y equilibran un poco el espíritu tan local y rural que por aquí se respira; han llegado de Nueva York, Maine, Miami. La chica de la cafetería, por ejemplo, viene de Kansas. Solo quieren estar aquí por el programa de estudios, muchos son becados y algunos trabajan por la zona.

—¿No ha dicho que es una franquicia?

—A eso aspiran, pero aún no, y la Comunidad de Green Bank ha ganado fama en el país como una de las más inspiradoras. Además, está el bosque y el observatorio.

—¿Los apoya la Fundación Beresford?

—Ni mucho menos. Detestan a la comunidad de estudio. Eso es ese grupo para Katty Beresford: un inconveniente.

—Entonces, ¿no considera a nadie de ese grupo capaz de asesinar? ¿No ha notado conductas agresivas o simplemente extrañas? Sabe que cualquier cosa que diga puede ser importante.

—Todos somos capaces de asesinar dadas unas particulares condiciones. Extremas, claro está. Pero si tengo que responderle, diría que no. No he visto ese brillo asesino en ninguna mirada —dijo en son de burla.

Eso me molestó. Había un cinismo adolescente, una rebeldía tonta en este hombre que podía, en otras condiciones, sacarme de mis casillas.

—Nadie tiene las agallas ni la pasión necesarias para hacer lo que ha hecho el asesino —comentó Archer.

—¿Cree que es un asunto de pasión? —pregunté, y estoy segura de que notó mi desagrado.

Se movió hacia atrás en el sillón, levantó la cabeza, movió el cuello hacia un lado y hacia el otro un par de veces; luego cerró los ojos unos segundos, los abrió; estiró los brazos hacia adelante, entrelazando las manos para luego ponerlas sobre las rodillas, y suspiró. Entonces me respondió.

—En cierto modo, ese sujeto es admirable. No quiero decir que apruebo el asesinato. Pero creo que hay que reconocer la pasión que el asesino ha puesto y que ha demostrado en sus actos; es un gran trabajo y esfuerzo físico. No sé si me explico. Y después uno se pregunta: ¿por qué así?, ¿por qué allí? Es que soy un voyerista de la pasión y no tengo dudas de que la que mueve al asesino es intensa. Me gustaría muchísimo entrevistarlo cuando lo atrapen…

Ahora comprendía por qué había mentido cuando vino

Nora. Para ver los celos aparecer en sus ojos. Jugaba con ella. Más que crueldad, me pareció frialdad.

—Aunque ahora que lo dice, hay algo, pero es solo una vaga idea.

—Continúe, por favor. ¿Ha sospechado de alguien de la comunidad? —pregunté.

—Sí. De mí mismo.

8

CUANDO IBA A PEDIRLE una mayor explicación, tocaron con insistencia a la puerta de la cabaña. Él se quedó mirando un punto en el vacío, sobre mi cabeza, y sonrió.

Escuché pasos apresurados detrás de mí. Era Nora. Pasó por nuestro lado, como si no estuviésemos allí, y se dirigió a abrir la puerta con rapidez.

En ese momento, Archer se levantó y me pidió que lo acompañara. Comenzó a alejarse de mí y me señaló ir hacia una habitación. Lo seguí y luego miré hacia la puerta principal de la casa. Ya Nora la había abierto y pude ver a un chico y una chica, bastante jóvenes. Parecía conocerlos.

Archer volvió a pedirme que lo siguiera. Cruzamos el estudio donde decía pasar las largas horas de encierro mientras escribía, y salimos al exterior por una puerta que había junto a una estantería y una silla repleta de papeles.

—Esos chicos son de la Comunidad. Vendrán a confirmar mi asistencia, de seguro. He pensado que es mejor estirar las piernas, para seguir hablando, y así evitábamos la interrupción —me dijo.

El egocentrismo de Jeremy Archer era incomparable. Pero preferí ignorarlo, para poder continuar la conversación. Nos encontrábamos caminando por la parte lateral de la casa, que daba hacia el bosque, y tomamos luego la vía que conducía a la carretera.

—Explíquese con lo de las sospechas sobre sí mismo —le pedí.

—Hay una atmósfera en este lugar... —dijo señalando a los árboles—. Yo últimamente estoy sufriendo de olvidos. Y supongo que eso me hace sospechoso. ¿Por qué cree que mis coartadas para el 19 y 29 de octubre, y para el 6 de noviembre no existen? Porque no tengo idea de lo que hacía. Lo achaqué al ritmo de trabajo que me he impuesto, he dormido poco, y debo reconocer que lo único que me importa es concluir la investigación. Algunas veces hasta olvido dónde me encuentro.

—¿Desde cuándo le pasa eso? —le pregunté.

—Hace dos o tres meses.

—¿Por qué dice «lo achaqué», en pasado? ¿Es que ahora lo explica de otra manera?

Por primera vez Jeremy Archer me miró con respeto. El asunto de que parecía más joven era una forma de menosprecio, aunque fuera sutil, pero ahora me estaba percibiendo de una manera diferente. Y la verdad es que yo misma estaba asombrada de lo que era capaz.

—Es que habiendo un asesino suelto y siendo tan pocos en este lugar... Mire, no soy idiota. La mayoría de las personas que viven aquí están libres de sospechas y sé que soy uno de los que no. Y tienen razón en verme de esa manera, porque, ¿qué bendita cosa estaba haciendo yo esas noches de los asesinatos? Nadie lo sabe.

—¿Ni su novia? —le repliqué.

—Lo dijo a los otros agentes. Ella viajó a Washington

porque la buena de Eleonor no supo resolver el asunto con un cliente. Y para eso nació Nora, la componedora. Todo lo arregla. Las otras dos noches se acostó temprano antes de que yo apareciera. Ella supone que estuve en el estudio trabajando hasta el amanecer.

—¿Suele pasar? ¿Es frecuente que usted no duerma en la habitación?

—Sí. Cuando está a punto de explotarme la cabeza, me acuesto en el sofá en el estudio. Nora lo encontró por un precio más que razonable y está muy orgullosa de él. ¿Lo ha visto? Es inflable. Solo se extiende con fuerza de un tirón y el aire de la habitación se encarga de llenarlo.

—¿Con qué frecuencia tiene esas lagunas? —le pregunté.

—Solo he tenido tres largas —dijo mirando a la ventana — y han sucedido las noches de los asesinatos —completó en voz más baja y volviendo la mirada hacia mí.

Me pregunté por qué MacLaine y Keaton no incluyeron eso en el informe.

—¿Usted ha dicho esto antes? —le increpé.

—No quise hacerlo con sus colegas. Solo les dije que había estado en el estudio y que, cuando estaba allí encerrado, era como si estuviera en otra galaxia, y que Nora sabe que no debe interrumpirme. Uno de los dos, creo que el llamado Keaton, quiso ver el estudio y por supuesto notó la puerta que da al exterior, y desde ese momento supe que me había ganado el puesto número uno en sospechas. Pero déjeme decirle una cosa en mi defensa; creo que no soy el asesino, pues no me interesa matar a nadie. Ni siquiera conocía a esos hombres. Nos han enseñado fotos de las caras de esos sujetos y no tengo idea de quiénes son. Como no la tiene nadie aquí, porque a esos pobres cadáveres nadie los ha reclamado.

—¿Y por qué lo dice ahora?

—Porque me parece que usted está más capacitada para hacer algo útil con esa información.

No entendía el juego de Jeremy Archer. Era como si intentara embrujar mi mente, como si su objetivo final fuese que me llevara una buena opinión de él. Primero se había mostrado displicente; luego confidente, con lo de las lagunas mentales; y ahora adulador, pretendiendo haber visto en mí aptitudes que no vio en Keaton y MacLaine. Y en el medio de todo estaba la presentación que me había hecho de la Comunidad, como un grupo que podrían parecer frikis ante los ojos del pueblo, pero que eran —según él— un grupo muy interesante.

Dio la vuelta, como con la intención de volver a la cabaña. Entonces yo también lo hice y vi a lo lejos una patrulla de Policía estacionada en el arcén, junto a un hombre con uniforme policial y a otros dos jóvenes. Parecía una discusión. Uno de ellos se alejaba del policía y se acercaba a ratos. Luego el más joven y alto levantó una bicicleta que estaba tumbada en la vía, se subió a ella y se marchó. El uniformado continuó mirándolo unos segundos y luego se subió al auto.

Jeremy Archer seguía hablándome sin parar.

—Cada vez creo más en que el mejor amigo que tenemos es nuestro subconsciente. Y por eso estoy seguro de que en algún momento recordaré algo que me haga salir del manto de las sospechas. ¿Cree usted en el poder del subconsciente?

—Sí —le dije mientras cruzábamos el sendero que conducía justo a la entrada de su casa.

—Hace bien. La última vez que fui a París me escapé del congreso al que me invitaron y fui a dar al cementerio del Père Lachaise. Buscaba la tumba de Jim Morrison y me topé con la de una chica que murió en el atentado al Bataclan en 2015. Fotografié la imagen de la chica que aparecía en la lápida y luego perdí el celular con el que lo hice. Siempre quise volver a mirar aquel rostro. Era muy joven y bella. Una mañana, revisando noticias en Twitter antes de la clase, me encuentro un *collage* de fotografías de las víctimas del ataque terrorista en París. Más de sesenta personas en total. Y miré las caras, una a una, decenas de rostros, varios de chicas jóvenes, y la reconocí sin dudar en cuanto la vi. ¡Esta es! Me dije a mí mismo. Yo no la recordaba, y si antes hubiese hecho lo que ustedes llaman el famoso retrato hablado, no hubiese llegado a ninguna parte. Yo no, pero mi subconsciente sí lo logró. Allí está su valor. Aunque hay un problema con él.

—¿Cuál? —pregunté.

—No siempre es bueno. En él no cabe la moral ni las abstracciones. Es como un banco de datos del cual hemos perdido la clave de acceso. Y algunos de esos datos son secretos oscuros. Y entonces uno se pregunta si a la mayoría de las personas no les gusta la gente…

—¿Es eso cierto? —interrumpí.

—No lo dude. No quiebre la bonita imagen que me he formado de su inteligencia. Si a la mayoría de las personas no les gusta la gente y solo se frenan de destruir a alguien es porque se aferran a la idea abstracta del bien y del mal; ¿qué pasa cuando suspendemos toda posibilidad de abstracción y nos volvemos solo subconsciente, o «estado secundario»? Seríamos todos capaces de asesinar sin culpa y tal vez sin recordarlo siquiera.

¿Jeremy Archer se estaba autoinculpando? Parecía que eso acababa de hacer porque era él quien no recordaba lo que había hecho las noches de los asesinatos.

Nos encontrábamos parados en el umbral de su cabaña, pero yo no quería volver a entrar. Sentí la necesidad de airearme un poco, de mirar las cosas en perspectiva. Además, debía visitar a Laurie Bloom y llamar a Hans y contarle lo de las lagunas de Archer. Miré el reloj y le dije que debía irme.

Volvió a invitarme a la actividad de la Comunidad de esa noche. Insistió en aclararme que no era una jornada de estudio introspectivo, sino un concierto. Harían un concierto en el área del bosque donde solían reunirse, entre el área de Deer Creek y Slavin Hollow Rd.

En el momento justo en el que me despedía de él, Nora abrió la puerta. Parecía que hubiese medido el tiempo o que nos hubiese estado escuchando. Entonces me di cuenta de que la máscara tribal que vi en la salita, con círculos blancos alrededor de los ojos y cordeles en la parte de arriba de la cabeza, podía verse desde afuera. Tal vez ahora me encontraba cargada de presunciones que al llegar no tenía. Como la sensación de que toda esa filosofía de la Comunidad de Estudio Extraterrestre podía haber promovido la acción del asesino serial. No tenía nada claro, pero entendía que era una filosofía seductora, eso de escarbar en tu propia vida buscando indicios y creer que alguien quiera comunicarse contigo, sobre todo encontrando la teoría científica apropiada para probarlo. Aunque al final los hallazgos terminen siendo producto de nuestro propio subconsciente, como parecía creer Archer.

Yo, por ejemplo, tendría claro cuándo comenzaría a hablarme alguna voz interestelar del futuro desde un agujero de gusano, para que de allí en adelante vigilara mejor mis elecciones y no dejara que nadie controlara mi vida.

Eso habría pasado la noche aquella, antes del momento en que maté a mi hermano Richard. Sí, yo lo maté, porque no me quedó otra salida. Si no lo hubiese hecho, él tarde o temprano hubiese acabado conmigo.

9

Hans salió de casa de los Beresford en dirección a la casa de Gordon Eames. Tomó la calle Buffalo Mountain y arribó a Riley Run. Necesitaba llegar lo más rápido posible, aunque estaba convencido de que ya le habían alertado sobre su visita. Millhauser se habría encargado. Estaba tan ansioso de tener en frente a este sujeto que prefirió poner la mente en blanco hasta que se encontró en la entrada de su casa y bajó del auto.

Cruzó el jardín. Tocó a la puerta, pero no obtuvo respuesta ni tampoco escuchó ningún ruido. Decidió bordear el edificio primero por el lateral derecho. No había señales de que alguien estuviese en casa. Llegó al área de atrás. Vio un columpio inmóvil y detrás de él una casa más pequeña que la principal. El típico desahogo. Se dirigió hacia ella con rapidez. Dio un toque a la puerta y esta se abrió. Escuchó un ruido como el que hace una silla al ser arrastrada hacia atrás y luego una voz, pero no entendió las palabras.

—FBI. ¿Podría acercarse?

Entonces escuchó los pasos, lentos. Debía ser una persona mayor.

—¿FBI? Ah... por lo del bosque. Enseguida —dijo la voz masculina aún sin rostro.

Hans esperó hasta que al fin vio aparecer un hombre alto, muy delgado y viejo que portaba una gran lupa sobre el ojo derecho, de esas que se sostienen con una cinta que bordea la cabeza. A través de ella había mirado al visitante; con un ojo de tamaño normal y el otro agrandado.

¿Cómo podía caminar con esa distorsión visual?, se preguntó Hans.

—Soy Gordon Eames. ¿Dígame qué quiere, agente...?

—Hans Freeman —respondió—. Hacerle unas preguntas.

El hombre acomodó el lente hacia atrás, dejándolo arriba, sobre la cabeza.

Hans notó que aunque le resultaba amenazante su presencia, no podía dejarlo claro. Era presa de esa clásica ambivalencia de quienes reciben órdenes y lo han hecho toda la vida. Eso desagradable que vio Hans en sus asimétricos ojos se desdibujaba, y ganaba la batalla la aparente cordialidad, y entonces vio que comenzó a esforzarse por fingir amabilidad. Eso le habían exigido los Beresford, pero lo hacía muy mal.

—Me gustaría hablarle sobre unos sucesos graves que ocurrieron cuando usted era el jefe de la Policía del condado de Pocahontas. ¿Podríamos sentarnos en alguna parte?

—Claro —dijo, haciéndose a un lado, para que Hans entrara.

Era un taller de orden impecable. Las herramientas se exhibían en la pared, descansando sobre estantes grises a lo largo y ancho. Cada una con rótulos en la parte inferior. ¿Quién le había hablado de rótulos llamativos hacía poco tiempo? No pudo recordarlo.

Había una mesa larga sobre la que se encontraba un Boeing biplano P-12E a escala y a medio hacer, iluminado por una lámpara que producía una luz potente como la de los quirófanos. A Hans también le gustaban los aviones y fue capaz de reconocer el modelo con solo mirarlo una vez.

—Déjeme terminar de poner una pieza, porque si no habré perdido todo el trabajo. Es para mi nieto mayor, Wesley. El preferido, y no tengo problema en decirlo. Ahora la gente se esconde mucho lo que piensa y lo que cree, y así lo políticamente correcto nos ha vuelto a llevar al desorden en este mundo.

—¿Le molesta el desorden, jefe Eames?

—Claro. Es falta de conducción. Es el estado primitivo de las cosas.

Hans recordó parte del discurso de Katty, lo de la evolución, y ahora este sujeto hablaba de estado primitivo.

—¿Es usted un hombre religioso? —preguntó Hans.

Él creía que la religión era un tema de los más íntimos que existía, y por ello no solía preguntar sobre eso porque la gente siempre mentía al respecto, pero en este caso la intuición lo llevó a hacer esa pregunta. No era una intuición gratuita. Y había más en la mente de Hans: una naciente convicción de que el asesino era converso. Uno que tal vez hubiese vivido una peligrosa doble conversión reciente.

—Católico. Nancy mucho más que yo. Lo era. Murió la primavera pasada.

—Lo lamento —respondió Hans.

Entonces se sentaron en torno a la mesa, cerca de las piezas del Boeing.

Hans lo veía trabajar mientras pensaba que todo aquello, la casa, el taller, y hasta el avión a escala, lucía excesivo. Debía haber gato encerrado en las cuentas bancarias de Eames, al igual que en las de Wilkinson, sin tener siquiera que ahondar demasiado. Además, le parecía que Gordon estaba haciendo tiempo, para calmarse, para estar seguro qué decir, o para recordar una a una las palabras que seguramente Millhauser o la misma Katty le habían ordenado pronunciar cuando estuviera frente a él. Eso era lo que significaba la pieza del avión del pequeño Wesley: tiempo.

Cuando terminó de ensamblar la pieza en el ala del biplano, dejó la lupa sobre la mesa, apagó la lámpara y miró a Hans. Este no notó que, bajo la caja del avión, había también un llavero triangular igual al de Millhauser.

—Estoy aquí porque a raíz de los asesinatos recientes que han tenido lugar en el parque, hemos conocido que una de las víctimas fue un niño secuestrado hace más de cincuenta años. Creemos que las otras víctimas también se encontraban en esa situación. Y hay algunos indicios de que detrás de esos secuestros se encontraba una continuación del proyecto MK Ultra.

Hans hizo una pausa. Estaba hambriento de la reacción de Eames. Lo estudiaba en detalle ladeando un poco la cabeza. Sabía que había tenido poco tiempo para prepararse; solo los minutos entre su salida de la casa de los Beresford y la llegada allí.

—¿Ha oído algo de eso? —remató.

—Pensé que eran habladurías de los demócratas, invenciones de ellos. No estoy enterado de ningún reclutamiento de niños en el pasado.

—¿Y en el presente? —cuestionó Hans.

El hombre lo miró, entrecerrando los ojos y tensando los músculos del cuello.

—Tampoco —replicó.

—Ya. Como ha dicho en el pasado…

—No estoy enterado de ningún reclutamiento de niños —repitió con palabras lentas y pronunciadas con dicción exagerada.

—Sabe, Gordon, los archivos de ese proyecto —dijo Hans adoptando la misma forma de hablar pausada— han sido desclasificados y hemos encontrado que el general Winston

Beresford McCoy participaba de forma activa en él, por lo tanto, es fácil suponer que, una vez acabado, haya podido organizar una especie de «continuación» evidentemente ilegal.

—Los Beresford son una familia respetable. De esas que escasean, y no imagino ni al general Beresford ni a su esposa Claire, y mucho menos a su hija Katty, participando de algo como lo que usted describe. ¿Qué es lo que supone, que secuestraron a alguien y lo mantuvieron cautivo en el bosque hasta ahora? Son inventos de sus enemigos políticos. Si no hay nada más en lo que pueda serle útil, voy a continuar con el avión para el chico —dijo levantándose.

Estaba podrido de pies a cabeza, incluso más que Wilkinson, pensó Hans. Pero ya no tenía nada más que hacer allí. Al menos estaba claro que este sujeto no era el autor material de los asesinatos porque no tenía la fuerza suficiente en los brazos.

—¿Tiene usted algún hijo? ¿O sobrino?

El hombre tardó unos segundos en responder.

—No. Dos hijas y mis nietos.

—Lo dejo entonces —dijo Hans levantándose y dirigiéndose a la puerta ante la sorpresa del exjefe de Policía, porque este pensaba que trataría de sacarle más información.

Recuerde los detalles, jefe Eames —continuó hablando cuando ya se encontraba en el umbral—. El diablo está en los detalles. Lo digo por el avión para Wesley, no vaya a ser que tanto esfuerzo se pierda porque haya olvidado poner una pequeña pieza, y todo el aparato se derrumbe al final.

10

MIRÓ por el retrovisor al salir de la casa de Gordon Eames y lo comprobó: allí estaba el auto siguiéndolo. Un Audi negro. Los Beresford habían decidido vigilarlo, y con razón. No era poca cosa que se destapara un escándalo como aquel. «Familia Beresford implicada en secuestro y cautiverio de las víctimas del asesino del hacha». Ese podría ser el titular de prensa si lograba probar la verdad. El hecho era que estaba muy lejos de hacerlo. Tenía el convencimiento de que el asesino no jugaba a favor de los intereses de esa familia, sino que, al contrario, quería desenmascararlos. Pero para poder avanzar debía comprender la dimensión del mal que los Beresford habían ocasionado.

Entonces Hans buscó el número de Forbes en el celular, lo llamó, activó el manos libres y comenzó a conducir más lento mientras le hablaba. Le dijo que fuera a casa de Mia Duval y le pidiera que le mostrara las pertenencias de su madre. Si como había dicho Bob, la enfermera Wilma Kepler estaba obsesionada con la desaparición del chico que le dijo llamarse Leonard Bex, debía haber algo por allí aún; papeles; tal vez la copia de la denuncia; algo que le pareciera útil guardar. A menos que la hija hubiese prescindido de aquello, pero había que intentarlo de todos modos. Sobre todo le interesaba saber si Kepler tenía alguna idea de quién había sido el raptor, o los raptores del pequeño.

Luego detuvo el auto y llamó a Bob.

—Necesito que coordines unas entrevistas en el Centro Médico de Maine. Que el personal que trabajaba allí cuando tuvo lugar la desaparición del chico hable con los nuestros. Ubica la fecha según Mia Duval. Que les den las señas de los trabajadores. Que les muestren una fotografía de Gordon Eames de esa época. Y si no hay suerte allí, tendremos que hacer lo mismo con los otros centros ya identificados, ligados al proyecto MK Ultra. Sé que son más de setenta, así que espero que encontremos algo en Maine.

—Son ochenta y tres, pero solo veinte podrían haber sido lugares de captación de menores.

—Bien. He pensado que el mismo Gordon Eames debió traer a los niños. Era policía, confiable, los chicos voluntariamente irían con él. Además, lo he visto y sé que esconde algo. Probemos por allí. Tenemos que conectar a los Beresford con las víctimas.

Cuando cortó la comunicación, algo le supo mal. Era el hecho de que, aunque comprobaran la identidad de las tres víctimas y demostraran que habían sido sometidos a lo que fuera por parte de Winston Beresford, apenas sería el primer paso para llegar al asesino. Creía que el homicida no era uno de los Beresford, y si lo era, estaba actuando en perjuicio de la familia. ¿Por venganza? ¿Para denunciarlos? Si era verdad que los hombres decapitados eran esos chicos, estaba seguro de que el asesino lo sabía. Y que estaba «arreglando» el delito de Winston de una manera retorcida.

Condujo hasta el final de la carretera, que se cortaba en el montículo por donde el día anterior había subido a la caseta abandonada. Quería volver a ese lugar para pensar. Estacionó el auto al final de la pista forestal y caminó hasta la caseta. Pisaba las hojas amarillas y rojas y las oía crujir, y miraba hacia abajo el manto marrón, pajizo y verde. Iba esquivando los troncos caídos y aspirando el olor a corteza, y volvía a preguntarse:

—¿Qué me quieres decir?...

Es que Hans creía que las víctimas en este caso lo eran por partida doble: raptadas por Winston y asesinadas por el homicida. Y entre estos dos hechos, además habían sido mantenidas en cautiverio por alguien, lo más seguro era que de la familia. No veía a Gordon Eames haciendo experimentos con ellos ni decidiendo conservarlos allí, ni tampoco a Elliot Wilkinson. Ellos, en todo caso, eran o habían sido colaboradores; el primero, tal vez el autor material del secuestro; y el segundo, el testigo poco confiable para que la Policía atrapara a un inocente y lo culpara de los asesinatos, y dejara de escarbar en el pasado.

Entonces se convenció de que había dos manos en este caso: el asesino y quien tapaba lo que sucedió años atrás. Por eso estaba casi seguro de que el homicida odiaba a los Beresford. Volvió a su mente la imagen del escudo familiar con aquel lema tan melodramático de *sic semper tyrannis*, y aquel triángulo atado en sus puntas, y toda la parafernalia filosófica de Katty Beresford. No eran los dueños del bosque, sino sus carceleros...

Se le ocurrió una idea nueva. Y tenía que ver con Thomas Anderson, el hombre del bosque que padecía esquizofrenia. ¿Y si Anderson también ha sido víctima de los experimentos? La gente se conforma con saber que vive en el bosque y que es un ermitaño, o lo tildan de loco y punto. Pero nadie se pregunta de dónde salió, por qué está allí, o desde cuándo. Tal vez porque el plan era que él apareciese como culpable. Tendría que pedirle a Tourette que analizara las muestras de Anderson.

Se acordó de Julia. Se había olvidado por completo de ella por estar absorto en lo que descubrió. Tal vez ya se había hecho una idea de Jeremy Archer y de Laurie Bloom. Tomó el celular, luego hizo una exclamación, y volvió a guardarlo dentro del bolsillo del pantalón. No podía llamarla en ese momento porque ella se encontraba en «la zona silenciosa».

Sacó del bolsillo de la chaqueta el mapa del Parque Nacional George Washington y Jefferson que estuvo analizando en la noche. Lo estudió por unos minutos y comenzó a caminar en dirección a la ribera del río Greenbrier, donde había sido encontrado el segundo cuerpo.

Hans recordaba la posición del cadáver en la fotografía, también el informe del levantamiento de este. Fue repasando cada detalle a la medida que se adentraba entre los árboles. Se fijó que algunos de ellos mostraban extensas manchas blancas en los troncos, hongos que de noche imaginó fosforescentes.

El cuerpo había sido descubierto por unos senderistas que buscaban agua. Parecía que el asesino quería que los cadáveres fuesen encontrados lo más pronto posible; justo al amanecer siguiente de asesinarlos. Él sabía de muchos cuerpos que aparecían en los bosques años después de haber sido enterrados, y también sabía que debía de haber muchos más aún por descubrir. No era la intención del homicida que los cuerpos permanecieran ocultos más de algunas horas. Y eso era consistente con la idea de la denuncia y la venganza hacia los Beresford. De pronto, recordó a Robert Ferguson. Podría ser el asesino, porque tal vez odiara a los Beresford y los conocía de cerca. Aunque tenía una coartada para las tres noches…

A los treinta minutos llegó al lugar. Tuvo la sensación de

que era un paraje mágico. Tal vez eso había sentido también la víctima, y hasta el asesino. Aunque no conocía las capacidades mentales de ella. Los análisis forenses no encontraron patologías en las células cerebrales. Pero todavía tenía la esperanza de que los análisis que encargó supervisar a la doctora Tourette arrojaran algo más.

—Es mágico, tranquilo... nadie esperaría que aquí encontrase la muerte.

Entonces Hans imaginó ese lugar en la noche, el brillo de algunos árboles, y la compañía. Tenía que ser una persona cercana. Se había sabido ganar la confianza de ellos... ¿Cómo lo hizo? Tal vez porque lo conocían de siempre, y si era así, ¿por qué es ahora cuando quiso asesinarlos? ¿Qué fue lo que cambió en su vida? ¿Cómo logra que no luchen? ¿Cómo los distrae?

Se acercó al lugar exacto donde fue hallado el segundo cuerpo la mañana del 30 de octubre. Lo recordaba por la roca plana sobre la cual descansaba, puesto hacia adelante, el cuerpo sin cabeza. Justo cincuenta centímetros más allá la habían dejado, sobre otra piedra plana más pequeña, como si fuese una bandeja.

—Es necesario visitar las escenas de los crímenes —se confirmó a sí mismo.

Recordó a *Salomé con la cabeza de Juan el Bautista,* de Dolci. Pero esta vez era diferente porque Salomé había seducido con su baile y pedido la cabeza del profeta.

—El martirio de Juan el Bautista, celebrado por la fe cristiana, era el 29 de agosto, no de octubre... pero allí estaba el asesino, reconstruyendo otro tema iconográfico religioso. ¿Era eso lo que hacía? ¿O haber puesto la cabeza sobre la piedra plana no pretendía asemejar una bandeja de plata? —se cuestionó en voz alta.

Miró a todos lados, al cielo, al agua que corría. No había

pistas. La naturaleza se tragaba todo. En los espacios interiores era más fácil conseguir algo; un objeto fuera de lugar o una pequeña marca. Pero allí la escena expuesta estaba limpia, muda. Deseó con locas ganas fumarse un cigarrillo.

—Tal vez esa obra artística no tenga nada que ver con lo que él nos quiere decir —dijo en voz baja.

Hans comenzaba a pensar con intensidad en la mente del asesino, en sus pulsiones y en el mensaje que quería transmitir, y eso era porque para él ya estaba despejado lo relativo a la identidad de las víctimas. Hasta que no supiese quiénes habían sido esas personas, no podía avanzar en el caso.

—Te estás haciendo las preguntas. Eso está bien. No entiendes nada, y eso me gusta. El caos es el origen de la evolución —pensaba el asesino mientras miraba a Hans a los pies del lugar donde había decapitado a Evan.

Él sabía que para el agente Freeman conocer la identidad de las víctimas era prioritario. Había devorado el informe de Hans sobre la teoría centrada en la importancia del perfilamiento de las víctimas como primer paso en la investigación criminal. Contaba con amigos en todas partes, y uno de ellos se lo había obsequiado en formato electrónico.

—Ese es el problema de escribir todo lo que se piensa y se sabe, que te vuelves predecible. Todo va muy bien —se repetía en voz baja mientras no podía contener la risa. Era como si la personalidad risueña fuese su otro yo, uno pícaro y escurridizo que aparecía cuando quería.

Muchas veces pensaba que era el mismo Dios quien entraba en él de esa manera, a través de las incontenibles ganas de reír.

11

Hans perdió la noción del tiempo, vagando por el bosque. Pensaba que en este caso, más que en cualquier otro, las propias víctimas eran el mensaje.

Entonces caminó junto al río durante algún tiempo y luego, cuando divisó el cortafuegos, se dirigió hacia él. Justo donde empezaba había sido encontrada la tercera víctima, junto al libro de Robert Ferguson. El cuerpo tendido, bocabajo, con los brazos pegados al tronco y con las palmas de las manos hacia arriba. Y la cabeza estaba medio metro más allá. Entre ambos, el libro de Ferguson manchado y abierto en la primera página.

Reconocía el punto exacto donde estaba el cuerpo porque había sido dejado en línea recta en relación con dos árboles de tronco delgado, que a Hans le parecieron secuoyas. Justo en medio de ellos.

Esto parecía una marca de referencia, unos puntos fijos para recordar y, cuando todo pasara, volver a ese lugar y revivir el acto. Tal vez el asesino estaba convencido de que no iba a ser atrapado.

Había creído hasta ese momento que, de esta escena, lo más significativo era sin duda el libro. También que con este cadáver se había tomado el tiempo y la molestia de acomodarlo. En los otros dos casos los dejó tal como habían caído después del impacto mortal. Pero a este lo dejó tendido, le había juntado las piernas y acomodado los brazos. Tal vez con él lo unía un vínculo mayor, se decía Hans. De cualquier manera, era una posición de sumisión, de dependencia.

Entonces la adoptó. Se acostó bocabajo y volteó el cuello hacia un lado. Percibió un olor a hongos silvestres. Se mantuvo así, inmóvil, varios minutos. Cerró los ojos. La brisa le aliviaba un poco la pesadez en la cabeza cuando le movía el pelo que caía sobre su frente.

Después de un rato se sentó y extendió el mapa del parque que cargaba consigo a un lado, y miró hacia adelante. El bosque en otoño tomaba una coloración cálida, naranja y rojiza, pero a lo lejos se veía el borde azul y frío de las montañas. Aquello le recordaba que había dos culpables en este caso: los fríos experimentos de Winston y sus largas consecuencias, y la incendiaria solución del hombre que les cortaba las cabezas a las víctimas. Dos planos diferentes, y en el medio, los hombres sin cabezas, en un área bisagra donde ahora se encontraba él.

Hans apartó los mechones de pelo que le cayeron en la frente al inclinar la cabeza para volver a ver el mapa y exclamó en voz alta:

—¡Esto es una mierda! ¡Las víctimas tienen que importar! Tal vez aún hay hombres en cautiverio...

Se imaginó el cuerpo decapitado delante de él. Recordó a Katty Beresford y su alarde de la presentación de la fundación con el asunto de la técnica holográfica. Entonces imaginó —como un holograma— el cuerpo allí tendido la mañana del 7 de noviembre, avistado por el piloto del helicóptero que se dirigía al helipuerto del observatorio. Y en un efecto reversible, imaginó el momento del asesinato en la noche de media luna del 6 de noviembre, hacía apenas cuatro noches. Se imaginaba a la víctima conversando con el asesino. Tal vez se habían sentado cerca de donde él estaba. Era un lugar que podría invitar a la conversación. Desde allí se veía la cabeza redonda y brillante del radiotelescopio. Tal vez hablaban de astronomía, de filosofía. O quizá solo permanecían en silencio. El asesino debió de haberse levantado con alguna excusa. A sacar algo de una mochila, por ejemplo, algo de comer si estaban acampando. La víctima se había quedado sentada, o de pie…

Hans se inclinaba por creer que el homicida prefería que sus víctimas no previeran el ataque con el hacha, pero era difícil saberlo. Aunque era cierto que no se habían encontrado indicios de lucha en ninguna de las tres escenas. Y volvió a preguntarse cómo hacía para distraerlos.

—Eras su amigo o su amiga, estoy seguro —masculló, levantándose y sacudiéndose los pantalones.

Cuando volteó para tomar el mismo camino que lo había conducido hasta allí, vio a alguien. Solo una silueta oscura que pasó veloz. Pensó que los senderistas evitaban esa área debido al asesinato y que podría ser el asesino. Contuvo la respiración unos segundos y sus pupilas se dilataron. Inmediatamente corrió para alcanzarlo, pero no lo logró. Se detuvo, intentando escuchar algún ruido que le orientara hacia dónde continuar la persecución. Nada. Solo oía su respiración acelerada. Movió la cabeza hacia arriba, a la copa de los árboles, como si en esa posición pudiese agudizar el oído. Le pareció escuchar algo, como unas pisadas sobre las hojas secas. Con mayor velocidad emprendió otra carrera en esa dirección y al cabo de varios minutos se detuvo. Quien fuera, había logrado escapar. De pronto vio aparecer a una mujer. Tenía la piel oscura, la cara cuadrada, la frente despejada y el cabello largo y negro. Hans miró la identificación que pendía de su pecho. Era reportera gráfica y del peor de los diarios amarillistas de Virginia Occidental. Entendió que estaba allí para hacer un reportaje sobre las escenas de los crímenes.

—Hola. Soy Leigh-Anne, del…

—Sé de dónde es. ¿Ha visto a alguien pasar por aquí hace un momento? Un hombre que vestía ropa oscura.

—Solo a una chica.

Hans continuó corriendo y la dejó sola. Escuchó las palabras «espere», «agente», pero no pensaba detenerse. No logró alcanzar a nadie más. Cuando miró sus manos, las vio temblorosas y sintió los labios resecos y cuarteados. Le dolió el contacto de la lengua con ellos. Sin saber por qué se abalanzó sobre él un recuerdo de su adolescencia: Goren, antes del terrible incidente de la paliza al chico, años antes, en una obra de teatro en la escuela. Goren pronunciaba unas palabras que le gustaron tanto que le quedaron grabadas, como si solo en ese momento su amigo hubiese sido capaz de ser otro distinto, inofensivo: «El espectro del festín ronda este lugar», había dicho un Goren chico, con el mentón elevado, y portando un disfraz parecido al de la guardia suiza.

Siempre que Hans se sentía perdido y vencido, recordaba sin quererlo a Terence Goren.

12

Escuché una voz conocida, detrás de mí, cuando salía de la casa de Jeremy Archer. Era Lucien During.

—Hola, Nora. Buenos días, agente Stein.

—¿Cómo está, padre? —preguntó ella.

—Tendrán que pasar mil años para que me llames Lucien. Qué se le va a hacer. ¿Está disponible el escribiente?

—Sí. Acaba de hablar con la agente del FBI —afirmó, pero entonces Nora debió ver mi cara de sorpresa y completó —. Ellos se conocen desde chicos.

Asentí y me despedí.

Salí del patio delantero de la casa y llegué a la carretera. Allí había dejado el auto, pero decidí ir a pie hasta la casa de Laurie Bloom.

Los olores del bosque y los colores de las hojas de los árboles eran una maravilla. También los sonidos intermitentes de los pájaros. Entendía por qué los miembros de la Comunidad habían decidido vivir allí. Y de pronto me pareció terrible que se cometieran esos sangrientos asesinatos en ese lugar.

Continué andando rápido y recordando fragmentos de la conversación con Jeremy Archer. Lo más importante era lo de sus lagunas mentales. ¿Sería cierto o solo un ardid? No era un tipo fácil de adivinar. Quería hablar con Hans, y me molestaba no poder hacerlo y tener que posponer la conversación sobre la impresión que me habían causado Jeremy y Nora.

Más pronto de lo que esperaba me encontré cruzando la puerta de la casa de Laurie Bloom. Estaba claro que esta mujer no tenía el hambre de orden de Nora Clement. El porche estaba bastante descuidado, y vi malas hierbas que habían invadido el sendero que conducía a la puerta principal. Y había un montón de trozos de leña apilados a un lado. Algo sonaba como una mecedora, que quizá era movida por el viento. También escuché un tintineo; un objeto metálico, como un celular. La escalinata estaba empolvada, y me fijé en un dintel desfigurado y en la puerta entreabierta.

Dije «hola», pero nadie respondió. Me incomodó la situación. ¿Debía entrar o quedarme de pie afuera hasta que alguien apareciera? Decidí lo segundo. De pronto sentí la cara fría, supongo que estaba un poco asustada. Toqué a la puerta dos veces, luego tres más. Entonces escuché un ruido adentro. Esperaba que no fueran las patas de un animal enfurecido chocando contra el piso y viniendo a morderme. De repente la puerta se abrió como si alguien hubiese intentado tomarme por sorpresa.

La imagen de esa mujer me impresionó. Después me dije a mí misma que no era para tanto, pero creo que fue lo repentino de la aparición y su mal aspecto mezclado con el olor a hierbas que despedía, lo que se grabó en mi cabeza.

Tenía más de cincuenta años, era corpulenta, llevaba el pelo canoso puesto detrás de las orejas. Los ojos eran muy negros, diminutos y desviados, y la nariz achatada y enrojecida. Era blanca, muy blanca, pero sus brazos estaban repletos de manchas oscuras.

—¿Quién es usted? —me preguntó retadora.

Su voz era extraordinariamente aguda.

—FBI —dije lo más rápido que pude, buscando que lo que fuera que estaba sintiendo ella al verme disminuyera, y después completé—. Soy Julia Stein.

Se separó de la puerta, sin decir nada, pero terminó de abrirla por completo.

—Entre —ordenó con brusquedad.

La casa era un desastre, pero lo peor era el olor a fruta descompuesta. La luz era escasa, y creo que así fue mejor.

—¿Es usted Laurie Bloom?

No me respondió inmediatamente. Se sentó en una mecedora que había en el salón. Supe que era la responsable del ruido de antes. Me fijé en su ropa: franela verde claro, grande, larga, y *jeans* descoloridos.

—Marie Laurie Bloom. ¿Qué quiere? Es por lo de los cuerpos. Ya dije lo que tenía que decir —exclamó y se sacó algo de la uña del dedo índice de la mano izquierda.

Escuché a una jauría ladrar de lejos, y unos rasguños detrás de una de las dos puertas que daban a la sala donde nos encontrábamos.

—Es Tizón. No está acostumbrado a las visitas. Mejor dicho, las detesta. Siéntese allí. —Me mostró una silla de madera clara. La que estaba más apartada de la mecedora donde ella estaba.

—Usted ya ha declarado que no vio ni oyó nada inusual las noches de los asesinatos cometidos en el parque —inicié la conversación.

—Eso fue muy lejos de aquí. Solo el tercer cuerpo apareció más cerca. ¿Cómo iba yo a oír o a saber algo de eso? Además, los dolores de cabeza algunas veces no me dejan pensar ni oír nada. Me pongo tapones en los oídos para olvidar la ausencia del sentido auditivo que ahora tengo, para engañarme.

La miré con compasión. Parecía una persona muy infeliz. La infelicidad me deja un efecto de desahucio, de abandono muy desagradable. Y eso experimentaba en aquella casa.

—¿No ha recibido alguna visita inusual aquí o visto a alguien desconocido en el pueblo? —le pregunté.

—Yo no sé nada, ya se lo dije a los otros hombres que vinieron.

—¿Cuántos perros tiene?

Abrió más los ojos y enderezó la cabeza.

—Doce —dijo a la defensiva—. Sin contar a Tizón. Y a los que he enterrado en el patio.

—¿Por qué no lo cuenta? —pregunté.

—Porque él es de adentro. Ahora está adentro. Se ha escapado alguna vez porque es el más inteligente y sabe cómo hacerlo. De la casa del profesor se han quejado. No él, sino ella. La mujer que vive allí. Ahora Tizón está en cautiverio. La inteligencia puede ser nefasta algunas veces.

—Mantener doce o trece perros debe de ser exigente, así que gastará mucho dinero en ellos.

—Menos de lo que cree. La gente mima a los animales y los alimenta de más.

Imaginé una manada de perros furibundos a los cuales podían vérseles las costillas.

—¿Usted trabaja?

—Mi salud no lo permite. Mi hermano menor cubre mis gastos —dijo Laurie.

—¿Alguna vez trabajó?

—Ya veo que viene a preguntar por mi vida. Al menos, en su caso, tiene sentido que lo haga. No como el profesor ese, el tal Archer —dijo, pronunciando con énfasis el apellido—, que anda por allí averiguando de más. Caroline me lo ha dicho.

Eso me llamó la atención. Caroline era importante para ella. Tenía que saber quién era.

—¿Quién es Caroline?

—Trabaja en la cafetería más cercana, la del camino junto a la biblioteca. Debió haberla visto al venir aquí.

—¿Qué es lo que dice Caroline? —le pregunté.

—Que ese hombre embauca a la gente, que es un encantador, un siembra ilusiones, y todos terminan contándole cosas íntimas y después se arrepienten.

Como le digo —continuó— puede usted preguntarme lo que quiera sobre mi vida. Puedo contársela. Soy hija de un agricultor del pueblo de Alfalfa, que se arruinó y terminó llevándome a Clearlake a los cinco años, y el trabajo que consiguió allí fue en el matadero. Por eso odio la carne y mis perros no la comen tampoco.

Pude hacerme una mejor idea de la terrible salud de sus perros.

—Ese olor asqueroso, dulce, de la sangre y de los músculos se impregnaba en la ropa de papá. Mamá, por supuesto, me decía que el olor era imaginario y que estaba en mi cabeza.

Comenzó a toser. No paraba. El cuello y el rostro se colorearon. Se levantó y caminó hasta la puerta.

Pensé: «que no la abra», «no puede abrirla, está allí el animal». Me invadió una ola de pánico y estuve a punto de gritarle:

—¡No! ¡Qué va a hacer!

Pero tomó el otro pestillo, abrió la puerta contigua y la cruzó. Seguía escuchando la tos cada vez más seguida. De pronto no oí nada, solo los arañazos en la puerta cerrada. Era raro que ese animal no ladrara y que solo moviera sus patas y golpeara la madera con desesperación.

Ella volvió con los ojos llorosos y la nariz aún más enrojecida.

Esperé. Se acomodó en la mecedora otra vez. La pena que antes sentí por ella se transformó: ahora me parecía una mujer amenazante, y recordé las palabras de Nora.

—Como ve, soy una persona enferma y solo he trabajado en una oportunidad. En un restaurante cerca del lago de Clearlake, pero lo odiaba.

—En cambio, la cafetería cercana le agrada —dije.

—Es muy limpia.

«No es por eso por lo que vas», me dije mientras la estudiaba. «Sería difícil que valoraras la limpieza de ese lugar, viviendo en este basurero».

—¿Por qué decidió mudarse aquí?

—Porque tengo una alta sensibilidad a las ondas que descubrí muy tarde. Y es el único lugar del planeta donde puedo vivir. Sin contar lugares desiertos y desprovistos de servicios. Además...

—Continúe —la animé.

—Además, pensaba que estaría tranquila. Pero no contaba con ese policía. Con Ronnie Shaw. Quiero decirle que aquí la gente no es lo que aparenta y la policía está al servicio de quienes los benefician. No son para nada confiables.

—¿Qué pasa con ese policía?

—Que ha venido aquí mismo, a la puerta de mi casa, exhibiendo su celular encendido solo para ver mi impotencia.

—Comprendo. ¿Tiene alguna idea sobre quién podría estar relacionado con los sucesos del bosque?

—Ya se lo he dicho, aquí nadie es inofensivo. Confíe más en un animal hambriento que en cualquiera de ellos. Pero sí quiero decirle algo. Todos saben quiénes eran esos hombres y lo callan. Eran sujetos que siempre han vivido allí, entre los árboles, pero alguien los ha estado alimentando. Así que no es verdad que sean unos desconocidos para nosotros.

—¿Por qué mienten entonces? —le pregunté.

—Porque nadie quiere tomar parte. Una cosa es haberlos visto alguna vez y otra saber sus nombres y por qué están allí.

—¿Suele pasear por el parque?

—Claro que no. No puedo hacerlo porque las piernas cada vez me duelen más. Además, no me gusta lo que pasa allí en esas reuniones. He enviado cartas de queja al condado, pero no responden, nadie responde. Lo último que hice fue enviar una carta a la Fundación Beresford a ver si ellos hacen algo.

—¿Qué pasa en esas reuniones?

—Que deliran, gritan y escuchan música a un volumen exagerado. Que es gente peligrosa y la mujer que los dirige es la peor; Samantha Hill. Se sienten con poder sobre los demás, como si tuviesen un mandato, una misión, y no importara llevarse a todos por delante. Se lo he dicho a Caroline, que deje eso, pero no me hace caso. Ella es diferente porque aún no está contaminada. Es como si viviera, de una forma imposible, en un planeta limpio que no fuera este.

Otro ataque de tos. Esta vez escuchaba ese pitido del aire que intenta entrar en el organismo de quien la padece. El animal dejó de rasguñar la puerta.

—Y el hombre ese que se la pasa fotografiando todo, Albert Lexton. Dicen que es escritor. También va a esas reuniones y lo he visto por aquí. Una vez llegó hasta la jaula de mis perros. Me dijo que estaban muy flacos, desnutridos. Como si yo no supiese alimentarlos bien. Yo, que cuidé a mi mamá hasta el final. Igual me decían que la veían flaca, porque la gente siempre se mete en los asuntos de los demás y quieren perjudicarte.

—¿Cuál fue la causa de la muerte de su madre?

—Ya no se valía por sí misma, y luego tuvo neumonía.

Me lo temía. Me pareció pavoroso quedarme a merced de los cuidados de esta mujer. Estuve segura de que la alimentación que le proporcionó a su madre no era la adecuada.

—¿Se le ocurre alguna razón por la cual alguien cortaría la cabeza de esos tres hombres en el parque? Le pregunto porque uno siempre se explica las cosas, aunque no tenga información suficiente.

—Es verdad eso que ha dicho, que uno siempre se da explicaciones. He leído algo hace pocos días sobre las decapitaciones. Porque de alguna manera ya ese tema estaba en el ambiente del pueblo. Alguien habló sobre eso en Green Bank. Yo no soy de las que se la pasan leyendo y no estudié una carrera universitaria. Pero leí que es una forma de asesinar que busca demostrar un castigo ante todos. Eso entendí. Y aquí todo el mundo guarda lo que siente, así que es difícil saber quién lo hizo y por qué estaban castigando a esos hombres. Pero estoy segura de que fue alguien de Green Bank. El que fuera, tiene que andar como pez en el agua entre esos árboles.

—¿Ha viajado últimamente? ¿A casa de algún familiar?

—¿Viajar? —preguntó indignada—. ¡No me gusta! Y menos a casa de mi hermano porque allí los niños lo único que hacen es sentarse frente a la computadora día y noche. Con el mal que hacen esas pantallas a la vista.

—Muchas gracias por recibirme. De aquí iré a la biblioteca a preguntar si no han visto nada sospechoso —dije, levantándome.

—No me gusta entrar allí, y le diré por qué. Esa mujer, Arlene, enciende el celular, y eso está prohibido. Yo lo percibo, así que nunca entro en ese lugar e intento acortar camino por detrás.

—¿Por el bosque? —le pregunté inmediatamente.

—Sí —tuvo que reconocer.

—¿Tiene computadora?

—Claro que no.

—¿Entonces guarda aquí libros, enciclopedias? Lo digo porque ha afirmado que ha leído sobre las decapitaciones recientemente. ¿Podría mostrarme de dónde ha sacado esa información?

Asesté un buen golpe. No podía, porque no era un libro físico. Estaba segura de que la mujer lo investigó en la Red. Así que su electrosensibilidad en cuanto a las ondas wifi y a las computadoras podía muy bien ser un disfraz.

Además era lo suficientemente fuerte para manejar un hacha. Debí saberlo desde que vi los trozos de leña en el exterior de la casa.

Pero entonces, cuando estaba cruzando el umbral, me gritó desde la mecedora.

—Tengo una Biblia. Allí, en el Apocalipsis lo dice: «Y vi las almas de quienes habían sido decapitados».

13

SALÍ de la casa de Laurie Bloom, buscando aire fresco, convencida de que ese pobre animal estaba muerto o que dentro de poco tiempo lo estaría. Luego ella se explicaría la muerte como si los perros también fuesen electrosensitivos o como si alguien los hubiese envenenado. Sufría de una grave paranoia.

Decidí ir por la entrada del bosque detrás de la biblioteca. Desandar los pasos andados por Laurie Bloom. No sabía qué pensaba encontrar a ciencia cierta, pero me aventuré. Entonces la vi. A la mujer que hablaba con Grace cerca de la iglesia. Estaba segura de que era ella. Hasta vestía con la misma ropa. Se perdió entre los árboles. La llamé, pero no se detuvo. La perseguí sin parar. Cada vez había más árboles y era más difícil caminar entre ellos. No tenía idea de qué dirección tomar. Corrí bosque adentro y comencé a pensar que era inútil. Me detuve un momento, con la respiración acelerada. Recuerdo que iba a voltearme, pero sentí un golpe en la cabeza, atrás. Luego otro, y después la oscuridad.

~

DESPERTÉ con un pinchazo en el cuello. Era como si tuviese puesta una cinta de vidrio alrededor de él. Era un dolor intenso, como clavarse microscópicos alfileres en la piel. La cabeza me estallaba, pero lo que me urgía saber era si me habían cortado el cuello. Me toqué y sentí una herida finísima, un rastro rugoso, como hecho por un bisturí. Miré la punta de mis dedos y no había sangre, aunque podía sentir cierta humedad.

Estaba tumbada sobre las hojas, y olía a musgo. No reconocí ese lugar del bosque. Quise pedir auxilio, pero había dejado el celular en el auto. Me incorporé con lentitud. Por la claridad, calculé que serían cerca de las seis de la tarde. Supuse que había estado varias horas inconsciente. Me levanté como pude. Me dolió aún más la cabeza y el cuello.

Di unos pasos y entonces las vi. Unas hojas de papel escritas sujetadas al tronco de un árbol próximo a donde me dejaron. Me acerqué. Era una especie de informe médico de un tal Leonard Bex.

Pensé que tal vez había huellas en esos papeles, entonces levanté mi blusa, metí la mano y a través de ella toqué las hojas. Era un informe extenso de unas cincuenta páginas. Pensé que si habían sido tres víctimas, tal vez… y era cierta mi ocurrencia: en el árbol que estaba a unos pocos metros de distancia había otro informe clavado en la corteza. Pude ver dos más en los árboles siguientes. Eran cuatro y solo había tres víctimas. En ese instante lo supe: iba a matar a otra persona, o tal vez ya lo había hecho.

Comenzó a llover. No podía arriesgarme a que los escritos se borrasen, se perdiesen. Así que me detuve un momento para mirarlos e intentar fijar en mi memoria la forma exacta como estaban puestos, y luego saqué los papeles de los clavos.

Eso hice con los cuatro informes: Leonard Bex, Evan Olson, Daniel Conolly, Emma Porter. Había fotografías, exámenes de sangre, pruebas psiquiátricas. No tenía tiempo de revisarlos al detalle porque la lluvia se había desatado con fuerza. Metí todas las hojas bajo mi blusa, y luego entre mi vientre y el pantalón.

Tenía que salir de allí y buscar a Hans.

Escuché una música. Recordé el concierto de la Comunidad. Decidí dirigirme hacia allá. Tenía miedo y dolor, pero corrí lo más rápido que pude. Esquivé los troncos caídos y en un par de ocasiones trastabillé sin llegar a caerme. El agua me corría por la cara, y la blusa comenzó a pegarse a mi espalda.

¿Qué me habían hecho en el cuello? El dolor ahora era como cuando uno se corta los dedos con el filo de un papel. Pero no había sangre y tenía que continuar. Si era cierto lo que pensaba, la mujer que vi con Grace, la que perseguí, sería la próxima víctima y se llamaba Emma Porter. Sentí un asfixiante deseo de salvarle la vida.

Ahora el desequilibrio de Laurie, el mismo que me había hecho tomar el sendero del bosque, me parecía inofensivo. La mente del homicida era más siniestra que la de ella, con todo y sus perros muertos de hambre y la evidente obsesión por Caroline. Todo esto era como un juego para el asesino. Un juego más propio de alguien como Jeremy Archer.

14

Hans encendió el auto. En cuanto lo hizo, recibió una llamada de Bob.

—Forbes lo logró. La enfermera Kepler dibujó el rostro del hombre que según ella se había llevado al chico, pues parece que tenía ciertas dotes para dibujar. La hija no conocía la existencia de ese retrato. Coincide lo suficiente con Gordon Eames para que al menos lo interroguemos.

—¡Benditas sean las obsesiones de la gente! Espera, Bob… que está entrando una llamada de Tourette. Te llamo luego.

Ahora escuchaba a la forense. El pelo de la última víctima también estaba limpio y no había rastros de sustancias. Pero encontraron algo que fue encubierto por la lesión que produjo la muerte: el hombre no tenía cuerdas vocales. Se las habían extraído hacía tiempo.

Mientras Hans recibía esa noticia e intentaba comprender su significado, llegaba un mensaje de Liv Cornell al celular.

Gordon Eames se había volado los sesos en cuanto él salió del taller.

15

—¿CUÁL ha sido tu papel en todo esto? —preguntó el asesino a la mujer que lo escuchaba y lo miraba con cariño—. ¿Lo recuerdas? No es justo que lo olvides así sin más y desmerezcas lo que has hecho. ¿Qué te dijo él, desde el agujero de gusano, cuando cruzó el horizonte? Que debías cuidarlos, desde siempre y para siempre, porque tú estabas más capacitada. Sabes que este es tu lugar porque no quisiste irte, ni siquiera cuando pudiste hacerlo.

—Sí. Pero tengo miedo. Y no sé quién los mató. Habíamos llegado a un acuerdo, y ellos iban a cumplirlo. Estoy segura. Ya no me queda nadie. Me dejó última, pero sé que también me matará a mí.

—No digas eso, porque tú nunca morirás. Tu papel ha sido el más importante de todos. Has dedicado tu vida a esto y gracias a ti pudieron, al menos al final, vivir tranquilos. Eran felices, no tengas dudas. El bosque los protegió, como a ti.

La mujer lo tocó. Movió los dedos extendidos sobre el dorso de la mano del asesino, acariciándolo.

—Y no creas que saldrán limpios. Tengo los expedientes

de todos ustedes. Cuando llegaron a buscarlos, ya yo los había escondido. Deberán explicar muchas cosas al FBI.

Ella se quedó mirando las hojas rojizas que se movían con la brisa. Se encontraban a cuarenta minutos andando del área donde tendría lugar el concierto de la Comunidad. Estaban sentados sobre un tronco viejo, húmedo.

—Lloverá —dijo el asesino.

—¿Quién crees que los mató? —preguntó ella.

—Tal vez Gordon o el mismo Wilkinson.

—No pudo ser Gordon, no tendría fuerza. Tampoco creo que Wilkinson porque no tiene las agallas. Él es más de mentir, de adular y esconder secretos, pero no de matar así.

»¿Sabes, Emma? Este bosque es femenino, es el ánima de la Tierra. Este y todos los bosques. El mar es masculino, repetitivo, predecible. Cuando Winston decidió matar a los chicos, fue una mujer quien prefirió no hacerlo, y decidió intervenirlos, con bondad, para que no pudieran delatarlos. Claro que esa intervención dejó secuelas en sus cuerpos, que ya conoces. Luego, cuando se convencieron de que eras un peligro, cuando descubriste de dónde venías y lo que habían hecho, también fue una mujer quien abogó por ti y te salvó. Y luego, cuando esa misma mujer, cediendo a las presiones familiares, quería llevarte lejos, fue otra mujer la que los obligó a que te dejaran en paz porque tú eras necesaria aquí, para ellos. ¿Lo ves? ¿Ves la continuidad femenina en todo esto? Me refiero a esa terquedad por mantener el equilibrio, hasta cuando resulta imposible. Ese es el dilema femenino. Los hombres son torpes y no aguantan caminar en la cuerda floja, y sobre todo nunca entenderán el valor del sacrificio.

Emma lo miró. Sabía lo que pensaba sobre la abnegación porque lo habían hablado muchas veces.

—¡Anda, Emma, date un descanso! Lo has hecho muy bien y más de lo que estaba a tu alcance. Pase lo que pase, de ahora en adelante recuerda que eres una copia inmortal de ti misma. No eres un ser provisional ni mucho menos. Ninguno lo es; ni Leonard, ni Evan, ni Daniel.

Ella le sonrió, agradecida.

—Toma, te he traído los audífonos porque tenemos que celebrar con música. —Los sacó de un bolso de plástico, donde también estaba el hacha.

Ella se acomodó los audífonos y cerró los ojos. Había aprendido a amar la música a través del asesino. También le enseñó muchas otras cosas: a pensar, a expresarse.

—Para mí, de lo mejor que se ha inventado son estos aparatos, aunque el mundo ya no opine lo mismo. Tengo ya diez años con él. ¿Cuál canción quieres escuchar? —le preguntó, moviendo la rueda del iPod y mostrándole la pantalla—. Esta es perfecta y ya la escojo yo, sé que estos aparatos se te resisten... —dijo riendo.

Terminó decidiendo por ella, como normalmente hacía.

Se levantó mientras ella balanceaba la cabeza de un lado a otro, al ritmo de *Viva la vida* de Coldplay.

El asesino caminó por detrás de Emma, miraba su cabeza cubierta por el largo y enmarañado pelo entrecano. Pensó que, aunque fuera una mujer madura, todavía era una niña muy ingenua. Pensaba que la naturaleza castigaba la ingenuidad sin contemplaciones de ningún tipo.

La extrañaría. Iba a dolerle lo que estaba a punto de hacer. La dejó disfrutar un poco más de la canción. Entonces sintió unas ganas incontenibles de llorar, pero no podía parar. Ya no.

Sin pensarlo más, se dirigió al bolso, lo abrió, sacó el estuche que contenía el hacha, se deshizo de él dejando que cayera a sus pies y entonces sintió unas ganas locas de gritar, pero se contuvo. La decapitó en silencio. Luego, cuando vio la cabeza rodar y se sintió satisfecho porque no había fallado el corte, gritó con fuerza.

Inspiró profundo y agradeció a Dios que no hubiese sufrido y que la maniobra fuese magistral. Ya la había liberado a ella también.

El iPod seguía sonando, en alguna parte, a la altura de sus zapatos negros, y pudo reconocer la estrofa:

«Fue el viento embrujado y salvaje que tiró la puerta para dejarme entrar.»

Cantaba mientras las lágrimas le recorrían la cara y el cuello.

Su error fue gritar, porque alguien lo vio.

16

La música la orientaba. Caminaba con náuseas y dolor a ratos. Pero no pensaba detenerse.

Los violines los escuchaba cada vez más cerca, a pesar del ruido que hacía la lluvia chocando con los árboles…

¿Quién había dicho que el bosque era mágico? No podía recordarlo muy bien, tal vez por la fuerte contusión. Pronto llegaría a donde estaban, al concierto, solo tenía que caminar un poco más y tratar de no caerse.

Al cabo de poco tiempo llegó al cortafuegos. Ya solo faltarían cinco o diez minutos más a lo sumo, calculó. La canción la conocía; recordó el videoclip, el hombre bello tatuado, pero no podía recordar la letra. Algo con el recuerdo o la memoria…

Pensó que tal vez la habían drogado y se desmayaría, y que los papeles que tenía pegados a su piel se perderían.

Escuchó los pájaros cantar a pesar de la lluvia, pero los violines se oían más fuertes. Subió a un pequeño montículo y luego, abajo, los vio. Una carpa y gente sentada, luces tenues a los lados simulando candiles y la música... Tal vez si se lanzara acostada, de lado, rodaría y llegaría más rápido. Pero se haría heridas, y la cabeza le dolería aún más. A pesar de todo, el pinchazo en el cuello parecía mejorar con las gotas de lluvia. Sentía alivio momentáneo, pero luego volvía a doler, a quemar.

Decidió bajar poco a poco. Fue ahí cuando la vio. Parecía una caja justo detrás de la carpa, como a cien metros. Nadie podía saber que estaba allí, a menos que subiera y mirara. Una caja opaca dentro de un triángulo marcado en la tierra.

Llegó por fin, bajando despacio. Se fue acercando a las sillas. Desde allí podía ver al cuarteto. Ahora tocaban *Viva la vida*, eran dos mujeres y dos hombres. Recordó la letra de la canción y a su exnovio criticando la amplitud de sus gustos musicales. Eran recuerdos que estaban en su cabeza, que, apenas se asomaban, volvían adentro, pues allí pasaba algo grave. Entonces, a pesar de su malestar intermitente, se dirigió al triángulo marcado, a la caja. Un chico joven se levantó de su asiento y se le atravesó. Ella lo esquivó sin decir una palabra. Los músicos seguían tocando, pero escuchaba los murmullos al pasar.

—¿Quién es? —preguntó Samantha Hill, la coordinadora de la Comunidad y organizadora del concierto.

—¿Qué hace? —completó Albert Lexton, el escritor que fotografiaba a los pájaros.

—Tal vez ve algo que nosotros no vemos… —dijo Caroline con voz suave.

Julia no se detuvo y pasó de largo la carpa. Ya había parado de llover y el dolor en el cuello latía.

La chica del violín, sentada a la derecha y más cerca del paso de Julia, la miró con miedo. Dejó de interpretar la canción y se puso de pie. Los demás músicos hicieron lo mismo. El silencio fue inmenso y nadie reaccionaba. Solo Julia, que caminaba como hipnotizada hacia la caja. Atravesó la marca en el suelo y por fin tuvo el embalaje a sus pies; opaco, negro, de plástico.

Se arrodilló junto a ella y la abrió.

Los presentes en el concierto, ya agolpados un poco más atrás, exclamaron con horror y algunos gritaron. Julia hizo silencio. Desde ese momento decidió que iba a resguardar la escena y se levantó con determinación.

—Todos atrás. FBI. Todos atrás. —Mostró con rapidez la identificación.

Reconoció a Nora, a Jeremy. También a la mujer que había visto al llegar a Green Bank en la carretera. Luego vio al padre Lucien During junto a Grace Tennant Beresford y a Robert Ferguson.

—Padre During, avise a la comisaría y que ellos llamen al agente Hans Freeman de inmediato. Nadie pasa hasta acá. Necesito que se retiren hacia donde están las sillas. Nadie puede cruzar la línea del triángulo marcado, ni pisar sobre ella.

El asesino estaba presente y sintió una genuina admiración por la agente del FBI. Solía disfrutar a las mujeres como Julia, tan apasionadas y resolutivas, que sacaban fuerzas insospechadas en los momentos críticos.

Y lo mejor de todo era que ella no sospechaba nada.

PARTE III

1

NO ES igual cuando uno conoce a la persona que han asesinado. Desde el momento en el que vi la cabeza de la chica, atrapada en esa caja, sobre una cama de musgo, como si fuese un regalo macabro que el asesino nos ofrecía y que entregaba al pueblo de Green Bank, supe que vería los homicidios de una manera totalmente diferente. Recuerdo que Hans me preguntó si estaba bien. Me dolía la cabeza y sentía frío, pero me había hecho dueña de la situación. Ahora reconozco que disfruté de esa sensación de control.

Había esperado junto a la cabeza de la mujer hasta que Hans llegara, y vigilé que nadie atravesara el área que el asesino marcó en la tierra. No podría saber cuánto tiempo pasó hasta que vi a Hans acompañado de varios oficiales. Lo vi hablar con una mujer que imaginé era Liv Cornell. Ella se dirigió a donde estaban los demás agentes y Hans caminó hacia donde estaba yo, de pie, resguardando la caja. Hasta ese momento, rogaba para que no volviera a llover y las pistas —si las había— no se perdiesen.

—¿Estás bien, Julia? —me preguntó Hans y luego esperó a que le respondiera.

—Me duelen la cabeza y el cuello —dije—. Me han atacado en el bosque. Me golpearon por detrás.

—¿Viste quién te agredió?

—No, pero nos ha dejado esto. —Saqué los papeles que ya casi había olvidado, que permanecieron entre mi blusa y mi piel.

Hans miró con algo más que curiosidad. Era la primera vez que lo veía poner esa expresión y no sabría definirla, era una mezcla de interés y ansia.

—Son informes de observación médica. Solo los he mirado por encima porque no he podido…

Dejé la frase a medias.

Involuntariamente llevé la mano hacia mi cuello, ya que comencé a sentir mayor escozor. Él miró.

—¿Qué te han hecho allí? —preguntó, y fue cuando me preocupé. Por un momento olvidé la cabeza de la mujer y los papeles y solo me concentré en los ojos de Hans, como intentando que ellos fueran un espejo para poder saber cómo era mi herida.

—Parece que te han hecho un corte muy fino, superficial. Creo que significa algo importante para el asesino. Como la…

—La escultura de la casa de Robert Ferguson —completé.

Hans, con unos guantes azul pálido, tomó los papeles que encontré en el bosque. No sé por qué, pero me parecieron brillantes. Tal vez las punzadas en la cabeza me estaban alterando la visión. Me toqué el cuello y sentí dolor.

—Julia, vete con el agente. —Me mostró a un hombre en el cual no había reparado que nos miraba a ambos—. Debes hacerte una revisión médica. No creo que el golpe haya sido tan fuerte como para comprometer tu salud, pero habría que asegurarse. Yo me encargo de esto —dijo señalando a la caja. He pedido a Cornell el mejor equipo forense de la zona, mientras llegan nuestros especialistas, que ya están en camino.

En ese momento volví a pensar en la víctima y no quería irme de allí.

—La conocí viva. Hablaba con Grace Tennant esta mañana, y se fue con ella en el auto... Estoy segura... Luego la vi en el bosque y la seguí, y fue cuando me atacaron.

Hans se asombró.

—No había podido decírtelo. Me pareció desde anoche que Grace sabía algo. Fue a hablar con un sacerdote llamado Lucien During y, justo cuando salía de la iglesia, se encontró con esta mujer en la calle.

Se quedó pensando unos segundos y luego se volteó, me tomó con suavidad del brazo y me condujo hasta donde estaba el agente.

—Necesito que le pida a la jefa Cornell que venga de inmediato. Hay que entrevistar en primer lugar a Grace Tennant, ahora mismo. La agente Stein necesita una revisión médica y forense, pídale que se encargue. Traiga también una bolsa de evidencia para guardar esto y manténganlo bajo su custodia, agente... Graham —dijo fijándose en la identificación.

El hombre asintió de inmediato, aunque noté cierta confusión pasajera en su rostro, y luego una especie de alivio.

Después Hans se dirigió a mí.

—Yo me encargo, Julia. Ve a que te revisen y después hablamos.

No miraba mi cara, sino mi cuello, y yo no sé por qué miré hacia abajo y me fijé en los plásticos que recubrían sus zapatos. Hay similitudes que están ocultas y que de pronto emergen de la nada. Aquellas envolturas que Hans se había puesto para no contaminar la escena me aclararon a qué me recordaba el dolor en el cuello. En casa había una lámpara de mesa que rotaba y que mostraba un penacho de filamentos de vidrio cuya punta cambiaba de color. De niña fantaseaba con que era una cosa de otro planeta. Pero no era un objeto inofensivo. Las hebras se desprendían con facilidad y caían al piso, y muchas veces me clavé en los pies descalzos esas fibras que se sentían como alfileres microscópicos. Eso mismo era lo que ahora sentía alrededor de mi cuello.

El agente me llevó hasta un punto cerca del toldo y me dijo que me dirigiera a uno de los vehículos, ahí debía esperar. Eso hice, abrí la puerta del auto y me senté en los asientos traseros. Luego vino una oficial que me dijo que sería mejor llevarme al hospital, porque no tenía buena cara. No podía distinguir bien su rostro. Era como si estuviese metida en una pecera, o como si dentro de mis ojos hubiese una gota de agua que distorsionara las líneas y las formas, sobre todo en el medio del campo visual. Ella se fue y yo aparté los mechones de pelo que caían sobre mi frente, y sentí granos de tierra. Estaba mareada, pero sabía que con un par de pastillas de Dramamine se solucionaría.

Entonces la vi, a Laurie Bloom. Miré afuera por la ventanilla del auto. Estaba de pie, atenta a la gente que había asistido al concierto y que en ese momento era interrogada. Solo veía su silueta, pero estaba segura de que era ella, quien, apartada de todos, permanecía muy silenciosa, observando. Entonces alguien se le acercó. Era una chica. Caroline, pensé.

Quería quitarme el dolor de cabeza para continuar, porque tenía la sensación de que el asesino estaba allí mismo, muy cerca y burlándose de nosotros, demostrando normalidad y fingiendo asombro por el horrible hallazgo, tal vez pensando que nunca lo descubriríamos.

¿Por qué esta vez había dejado solo la cabeza de la víctima?

Sentí un estremecimiento repentino al pensar en eso. Y uno aún mayor que me llegó hasta las rodillas cuando me pregunté por qué no me había asesinado a mí también.

2

Hans mirаba a Julia mientras se alejaba, diciéndose que tendría una pronta recuperación. Pero lo que realmente le inquietaba era la razón por la cual el asesino había hecho esa marca en el cuello de Julia. ¿Por qué le hizo eso? Recordó que una de las víctimas no tenía cuerdas vocales. Esa obsesión por las lesiones en el cuello tal vez se debía a que era la zona más vulnerable del cuerpo humano... ¿Y dónde estaba el resto del cuerpo de la mujer decapitada?

Estaba seguro de que aquel no era el lugar donde el asesino mató a la mujer porque no había rastros de sangre.

Miró a todos lados y escuchó los ladridos de unos perros. Decidió fotografiar la escena antes de que el equipo forense comenzara el análisis en pocos minutos. Se acercó a la caja y se puso en cuclillas junto a ella. La iluminó con el celular. La cabeza puesta de lado, el pelo manchado y oscuro con algunos pedazos de hojas secas enredados... ¿Por qué hay musgo debajo? ¿Tendría algún significado la caja de color negro? Tomó tres fotografías en diferentes ángulos. Luego notó que bajo la cabeza había algo más que musgo. Era un objeto de otro color más vivo: naranja. Acercó la cara, al punto de que casi choca con el borde de la caja. No tuvo dudas, era el ala de una mariposa. Hacía poco tiempo vio unas mariposas así en alguna parte, pensó mientras se levantaba.

Miró hacia los árboles. El bosque era, a esa hora de la noche, un conjunto de sombras oscuras. Aún se escuchaban los ladridos de los perros. Entonces recordó que Laurie Bloom vivía con más de una decena de perros. Se preguntó qué habrían estado haciendo ella y Jeremy Archer a la hora del asesinato. Sabía que tendría que esperar a que el forense informara a qué hora murió.

Vio venir a Liv Cornell junto con tres hombres. Luego de unas indicaciones, ellos caminaron hacia el toldo.

Esperó a que ella se le acercara.

—¿Dónde ha dejado el resto del cuerpo de la víctima? ¿Por qué esta vez ha separado la cabeza?

—No lo sé. Esta vez ha querido decirnos algo más. Sabe que tiene nuestra atención, que el FBI está aquí, y eso debe gustarle. Estamos jugando su juego al fin y al cabo. Nos considera sus aliados para desenmascarar a los Beresford.

Liv Cornell enarcó las cejas.

—He decidido confiar en usted. Pero quiero que sepa que no confío en la comisaría —le dijo Hans.

A Liv le pareció un raro arrebato de sinceridad y dibujó una leve sonrisa llena de ironía.

—Agradezco que confíe en mí. La práctica de esconder cosas en un pueblo chico como este es común. Y mucho más si son cosas que se relacionan con una familia como los Beresford. También hay gente que no solo oculta cosas, sino que trabaja para ellos en la sombra. Pero sé lo que tengo que hacer, y eso es llegar al final del camino para descubrir al asesino, aunque resulte molesto o peligroso para algunos —dijo Liv con resolución.

—Lo sé. Debajo de la cabeza el homicida hizo una cama de musgo, y entre ambos dejó lo que creo es el ala de una mariposa. Ahora recuerdo que he visto en casa de Ferguson mariposas similares. Había un muro cubierto de musgo y varias mariposas tigre revoloteando. Estoy casi seguro de que el asesino quería dejar claro que todo lo que estaba pasando tiene que ver con esa familia; el libro antes, la mariposa ahora. Aunque, lógicamente, la presencia de estos insectos no puede relacionarse solo con los Beresford, pero es cierto que solo los he visto cuando fui a visitar a Ferguson, y ahora junto a la cabeza. Además, está el triángulo, que es el símbolo de la fundación que conducen Katty Beresford y su hija Grace, dibujado aquí mismo por el asesino, y sobre todo está el hecho de que Grace Tennant conocía a la víctima.

—¿Cómo sabe eso?

—Se han encontrado hoy en la mañana y han hablado. Debemos interrogarla de inmediato. Hasta ahora no teníamos conocimiento de que alguien conociera o interactuara con alguna de las víctimas anteriores.

—Lo haremos, agente Freeman. Ahora mismo.

—Estoy seguro de que la implicación de esta familia crece de manera vertiginosa y por ello Gordon Eames se ha suicidado. No me extrañaría que ya estuviesen trabajando para culparlo a él de lo sucedido. Ya Stephen Millhauser y Katty Beresford deben haber maquinado la manera de librarse de la responsabilidad de lo que ha pasado con estas víctimas.

—¿Dice que ellos son los responsables de las muertes? —preguntó Cornell.

—No. Digo que son los responsables de que esos tres hombres desconocidos y esa mujer hayan estado aquí. Hemos descubierto que las víctimas fueron secuestradas cuando eran niños, al menos la primera de ellas, identificado como Leonard Bex, y que lo hizo Gordon Eames. Creemos que formaron parte de un programa ilegal que conducía Winston Beresford, quien usted sabe era muy cercano a Eames. Pero ahora no tengo tiempo de contarlo todo. Le diré a Bob Stonor que envíe un reporte con lo que hemos investigado hasta ahora.

—¿Tiene pruebas de lo que dice? —preguntó Liv en voz más baja.

—Ahora sí. El asesino las ha dejado «convenientemente» junto a la agente Julia Stein en alguna parte del bosque, donde fue atacada. Creo que odia a los Beresford. Y que por alguna razón justifica sus asesinatos en los pecados pasados de esa familia.

—¿Dónde está la agente Julia Stein? —preguntó Liv Cornell con un tono de mayor gravedad.

—La he enviado al hospital. El agente Graham debió informarle…

—¿Quién es el agente Graham? ¿No se referirá usted a Hanson? —preguntó Liv confundida.

—Estaba aquí junto a nosotros hace unos minutos. Vi su identificación y decía Graham —respondió Hans mientras una terrible idea se le ocurría.

—No he dejado que nadie se acerque y todos los oficiales están encargándose de tomar declaraciones a los presentes en el concierto. Hice lo que acordamos, encargarme de los testigos y de limitar el acceso hasta que llegara el equipo especial forense, así que no ordené a nadie estar aquí. Además, no hay bajo mi mando ningún agente Graham.

Hans salió corriendo. Uno de los envoltorios que había en sus pies salió disparado y quedó junto a la línea que trazó el asesino para mostrar el triángulo Beresford. Cruzó el área donde estaba el toldo que instalaron para el concierto y llegó hasta el estacionamiento, luego de la intersección de la carretera Slavin Hollow Rd, y vio salir a un auto de Policía a toda velocidad.

En su cabeza latía la imagen del hombre que había estado escuchando la conversación con Julia y que ¡se había llevado los papeles!

Liv Cornell intentó seguirle el paso y ahora lo observaba desde unos metros más atrás, detenido y frotándose la cabeza, mientras el agente John Hanson le decía algo.

Hans comenzó a gritar:

—¿Con quién se ha ido la agente Julia Stein? ¿Quién se la ha llevado? —le preguntó a Cornell y al otro hombre que lo miraba sorprendido.

3

Creo que me dormí o me desmayé. Me despertaron varias voces. Estaba acostada en una cama, en una habitación oscura. Pude ver unas cortinas verdes, umbrosas y corridas a lo lejos que dejaban pasar por debajo un hilo de luz.

¿Aquello era un hospital? No estaba segura. Pero entonces lo vi aparecer. A Hans. Estaba sentado en un rincón de la habitación. Se levantó y se detuvo junto a la cama.

—Hola. El golpe en la cabeza no ha tenido consecuencias, solo el agotamiento temporal. Te pegó con un objeto de punta roma, tal vez un tronco. Lo del cuello ha sido una fina raspadura, tal vez con algún tipo de espina o quizá un bisturí. El enrojecimiento era aún mayor porque has tenido una reacción alérgica común para algunos tejidos vegetales.

—¿Cuánto tiempo he estado…?

—Solo unas horas —respondió él.

Hans es un hombre extraño. Cualquier otra persona hubiese preguntado cómo me sentía antes de dar esa especie de parte médico. Pero le agradecí que lo hiciera. La verdad era que necesitaba claridad.

—Hemos perdido los papeles que me entregaste.

—¿Cómo que los hemos perdido? —pregunté, sentándome en la cama.

—El hombre con el cual te pedí que buscaras atención, el oficial «Graham» no era tal cosa. Nadie lo conoce. Fue arriesgado hacer eso, pero lo hicieron.

—¿Hicieron? —repetí.

—Los Beresford. Arriesgado pero hábil. Había pedido que nadie se acercara a la escena y todos los oficiales obedecieron las órdenes de Cornell. Así que allí estábamos solo los dos, y era una buena oportunidad para hacerse de esos papeles sin que nadie le preguntara quién era. Los testigos habrían pensado que se trataba de alguien de nosotros. Además, tenía todo el bosque a disposición para escapar.

Estaba impresionada. Era verdad que uno da por hecho algunas cosas sin ni siquiera cuestionarlas. Pero el hombre había sido temerario.

—Claro, él lo que hizo fue decirme que me dirigiera a un auto y luego se desapareció. Entonces vino una mujer…

—Le entregué los papeles porque quería mirar por mí mismo la escena, pero fue un error. Me molesta no saber nada de las víctimas. Para mí es como caminar a tientas. ¿Recuerdas algo sobre esos escritos?

—Eran informes psiquiátricos. Cuatro: Leonard Bex, Evan Olson, Daniel Conolly, Emma Porter. Había fotografías, exámenes de sangre, exámenes médicos. Los encontré clavados en cuatro árboles. Llovía, y tuve que tomarlos porque temí que los perdiésemos.

—¿Clavados? —preguntó Hans.

—Sí. Recuerdo que hice un esfuerzo por grabar en mi mente la forma como los había dejado.

—Muy bien. Al menos tenemos los nombres que buscábamos. Las víctimas —dijo más animado.

Era esa la razón de su emoción. Ahora sabíamos cómo se llamaban esos pobres diablos que decapitaron. Me contó lo del rapto de Leonard Bex, su visita a casa de Katty Beresford y Gordon Eames. Fue cuando entendí por qué el agente Graham había sido enviado por ellos para desaparecer cualquier cosa en su contra. No solo era el asesino el peligro de Green Bank. Había un peligro menos agudo, como repartido entre todos, y eran los Beresford. Recordé a Laurie Bloom y esa forma salvaje que vi en su cara, y las patas del perro sonando en la puerta. También al vanidoso Archer con esa actitud de perdonavidas y la pasión contenida de Nora, que la hacía una persona reprimida, de mirada esquiva. Pero sobre todo me acordé de mi caminata por el pueblo a orillas del bosque, en esa pesadez silenciosa de Green Bank, algunas veces interrumpida por los pájaros y las bicicletas rodando por la carretera. Era como si todos tuvieran secretos y tal vez algunos de ellos ni siquiera relacionados con los asesinatos, pero que nos harían más difícil llegar a la verdad.

—Ahora solo nos falta descubrir la identidad del asesino… —dijo Hans esperanzado.

—¿Has hablado con Grace sobre la mujer? Porque yo la vi hablando con quien creemos que era Emma Porter.

—Acabo de hacerlo. Niega haber conocido a esa persona. Dice que debes de haber cometido un error.

—Estoy segura de que era ella —insistí.

—Y yo te creo, pero será difícil hacer que hable.

Entonces lo recordé. Yo había tomado unas fotografías. Y un video con mi celular antes de que Grace se bajara del auto, pero no después que saliera de hablar con Lucien During. Era posible que, si Emma Porter había estado esperando a Grace, estuviese por allí y hubiese quedado registrada. Sería una gran suerte, y era posible.

—Mi teléfono. Tal vez en mi celular tengamos una prueba. Supongo que ya puedo salir de aquí —le dije.

No pensaba quedarme más tiempo en ese lugar. Pensaba que mi ropa estaría en alguna parte. Solo quería ir a buscar el auto y el celular.

—Lo tengo aquí. Tu celular —dijo Hans.

Lo tomé de inmediato. Por un segundo olvidé el código de seguridad. Como cuando uno se dice tanto a sí mismo que no olvide algo, que termina haciéndolo. Pero mis manos sí parecían recordarlo: «5858» y apareció el fondo de pantalla. Busqué las imágenes. Nada. Solo estaba Grace y ningún rastro de Emma Porter.

—Ya ha llegado el equipo forense del FBI. No tengo nada más que hacer en el bosque. Ahora debemos centrarnos en la casa de Gordon Eames.

Cuando iba a interrumpirlo, se apuró en continuar.

—Se ha suicidado. Pero estoy seguro de que en ese taller ha escondido algo que nos conducirá al asesino, ya que el estilo de los Beresford siempre ha sido el mismo en esencia, aunque las estrategias hayan cambiado. Es la filosofía de la vigilancia, del espionaje. Además, la gente que vive en el pueblo solo tiene dos opciones: o plegarse a ellos o pasar a engrosar la lista de indeseables a los cuales tarde o temprano hay que doblegar. Y para eso es que vigilan. Lo que pasa aquí es que nuestro homicida y los Beresford parecen ser enemigos, y el asesino ha molestado la paz de esa familia, por eso, siguiendo la política de vigilancia que los caracteriza, deben haberlo estado buscando para neutralizarlo, o tal vez hasta para asesinarlo. No me extrañaría. Cuentan con un sistema de vigilancia tal vez maniobrado por la misma Policía de forma velada.

No entendía nada de lo que Hans me decía porque en el momento en que me hablaba me dieron dos punzadas en la cabeza. También sentí una sed abrasiva, como si hubiese atravesado un desierto. Dejé el teléfono al borde de la cama y esperé a que mi mente se aclare.

—He pensado mucho en ese hombre, en Graham. Esa forma de implantación del pelo en las sienes, la forma de las orejas, ese lóbulo rectangular es genético, y lo he visto antes.

Era difícil seguirle el paso a Hans Freeman.

—El asesino rompió las reglas a través de las decapitaciones porque ellas denuncian una culpa antigua de Winston Beresford. Eso es lo que busca. En parte estamos siguiendo su orientación y ayudándolo a que eso se haga público, sin quererlo, al investigar este caso.

—¿Y qué es lo que piensas encontrar en casa de Gordon Eames? —pregunté.

—Los sujetos de interés. Porque uno de ellos es el asesino que buscamos. No creo que tuvieran la certeza de quién es, aún. Puede ser también que hayan diseñado una mentira, un culpable a la medida…

Al decir esto, se quedó mirando un punto en el vacío. Vi su nariz recta y unos mechones de pelo cayendo hacia adelante. Se notaba obsesionado. Estoy segura de que el motor de la genialidad de Hans es la obsesión.

Le pregunté si creía que Katty Beresford conocía el contenido del informe de los perfiladores y sabía que Jeremy Archer y Laurie Bloom eran sujetos de interés para nosotros. Me dijo que era muy posible. No parecía haber nada que ellos no supieran. ¿Y si también me habían investigado a mí?

—No me extrañaría nada que hubiese un soplón, y que también supieran el contenido de nuestro informe —sentenció Hans.

4

—...LA locura se apoderó de nosotros. Estamos congelados y necesitamos que nos estremezcan. Ha sido terrible encontrar esos cuerpos para nosotros. Es espantoso haber encontrado una nueva víctima, pero lo peor es que no sabemos ni siquiera quién era. Esa indiferencia tiene que terminar. Si alguien sabe algo que pueda conducir a ayudar a las autoridades, debe hablar, con valentía.

Esas fueron las últimas palabras del discurso del padre During en el vestíbulo de la Fundación Beresford. Se quitó los lentes que usó para leer su discurso y los puso dentro del saco negro, recogió sus papeles del atril y se sentó con el resto de los asistentes.

Olía a azaleas y todos estaban en silencio, escuchándolo. Había seis personas sentadas en la primera fila. Se encontraban Grace Tennant, Robert Ferguson, Stephen Millhauser, Samantha Hill, Caroline Johanson, Albert Lexton, Jeremy Archer y Nora Clement.

También había varias sillas vacías. Un hombre resguardaba la entrada al edificio. Afuera entrevistaban a Katty Beresford.

—Hemos decidido hacer una ceremonia para reafirmar los valores de la comunidad de Green Bank frente a esta espantosa ola de asesinatos. La gente de esta comunidad no es así. Es gente buena que hace cosas buenas —declaraba Katty a una cámara de televisión y a una chica que tomaba notas. La misma que había visto Hans en el bosque.

El asesino cruzó el vestíbulo y miró hacia arriba, a la cúspide. Se imaginó colgando el cuerpo sin cabeza de Emma, desde allí, para que todos pudieran verlo, para desvelar la podredumbre de Winston y la enfermedad que había desatado. Todos estaban contaminados de silencio.

No sería tan difícil hacerlo. Solo tendría que conocer la vigilancia del edificio. Podría cargar ese cuerpo sin cabeza. *El jinete sin cabeza*... rio para sí mismo.

—Esa era tu verdadera misión, Emma, iluminar este banquete infernal de los Beresford con la putrefacción fosforescente de tu daño... —se dijo para sí, entre dientes, y sintiendo un cosquilleo intenso en la palma de las manos y los pies. Pero no quería que sus comisuras comenzaran a temblar. Nadie debía notar ni la más mínima señal de emoción en el rostro.

—Este es un tributo sincero a las personas desconocidas, como esa chica que ha sido encontrada anoche, a pocos pasos del concierto —continuaba el sacerdote su intervención cuando fue interrumpido por el grito de una mujer.

Laurie Bloom entró por una de las puertas laterales. Corría como una posesa y gritaba como si estuviese herida.

—¡Todos son culpables de lo que pasa! ¡Todos! Nadie se salva.

Llevaba las ropas mojadas y desprendía un olor nauseabundo.

El encargado de seguridad que se encontraba en la puerta reaccionó de inmediato. Se dirigió a hacia ella y de alguna parte llegó otro hombre más fornido. En pocos segundos estuvieron junto a Laurie Bloom y la tomaron por los brazos.

Solo se escuchaban los murmullos.

Grace se levantó y se dirigió al grupo con la intención de calmar la incertidumbre. Nora Clement la miraba fijamente. Jeremy Archer dibujó una sonrisa y sus ojos adquirieron mayor brillo. Estaba complacido.

—Es solo Laurie. Todos sabemos comprenderla. Podemos continuar, padre Lucien —dijo Grace demostrando serenidad.

Los hombres se llevaron a Laurie Bloom, quien para ese momento se había callado, como si no hubiese hecho nada.

—Siempre he dicho que está loca. No sé por qué no la detienen. Todos sabemos que ella es la asesina —dijo en voz baja Albert Lexton, el fotógrafo miembro de la Comunidad.

5

Salimos del hospital a media mañana.

El día me pareció muy claro. La luz se metió en mis ojos y me encandiló. Bajamos las escaleras grises y anchas que daban a un sendero acompañado de árboles pequeños, cargados de flores azules y diminutos frutos marrones. Escuché el llanto de un niño y unos pasos apurados detrás de nosotros. Alguien corría. Una mujer joven pasó por nuestro lado y se quedó mirando a Hans. Pensé que iba a decirle algo, pero continuó caminando. Tuve la sensación de que todos intentaban una normalidad que no existía. En el fondo, estaban muertos de miedo porque el asesino del bosque continuaba poniendo el dedo en la llaga, porque había hecho que el FBI estuviese allí.

Un hombre viejo barría unas hojas anaranjadas que se habían acumulado al borde del sendero que conducía al estacionamiento. Apartó un grupo de hojas deshechas y las dejó junto al árbol. Solo las cambió de lugar, podría decirse que las escondió. No sé por qué recordé la canción del concierto y a la joven asiática que tocaba el violín.

Cuando llegamos al auto tuve la sensación de que todos

sabían quién era el asesino, pero hacían como si no lo supieran. Tal vez estaba influenciada por lo que me acababa de contar Hans. Era espantoso lo que debieron de haberles hecho a esos chicos, aprovechando que no tenían familiares, que eran vulnerables.

El celular de Hans me sacó de mis pensamientos cuando estábamos en el interior del auto. El tono de llamada asemejaba el sonido de un radar estruendoso, o más bien la llamada de peligro de un avión; pitidos largos y amenazantes. Habían encontrado algo en la casa de Eames. Este se disparó en la sien, y su cuerpo había caído sobre la mesa donde armaba un avión, pero en esa misma mesa dejó el celular frente a él. Un celular sin tarjeta de memoria, sin información. ¿Para qué dejaría un celular sin nada frente a él? Hans cortó la comunicación con Liv y se quedó en silencio. Me dio la impresión de que estaba mirando unas ramas que se mecían en un árbol justo frente al estacionamiento. Me dijo que estaba seguro de que aquello era un mensaje para él.

—¿Por qué Gordon Eames querría decirte algo? —le pregunté.

—Se me ocurren varias razones. La primera y más probable es la culpa.

—¿Crees que era capaz de sentirla, si como dices ha estado al servicio de los Beresford toda la vida y debe de haber torcido la ley un millón de veces a su favor? —argumenté.

—Pero nadie sabe lo que puede sentir minutos antes de quitarse la vida, y no hay nada raro en su suicidio; quiero decir que no hay dudas de que se quitó la vida voluntariamente. Tal vez le recordé lo que él era antes de seguirle el juego a los Beresford. Quizá se vio reflejado en mí. La gente que cae en redes ilegales comienza con cosas muy pequeñas, como mover un papel de lugar, olvidar una multa, hacer un favor personal que implica ignorar una regla, pero después eso te va absorbiendo, anulando, y ya no eres más lo que eras.

Le concedí la razón en lo que decía y hasta me pareció que hablaba por experiencia propia, pero Hans no era corrupto, eso era inconcebible. Pero bien podría haber estado cerca de alguien que sí lo fuera.

—¿Cómo te ayuda un celular sin información? Vacío, no es normal...

—¡Lo tengo! ¡Gracias a ti!

Buscó con manos temblorosas el celular que había dejado entre los dos e hizo una llamada. Repetía las palabras «vamos», «vamos», «atiende».

Llamaba a Liv Cornell, a quien había encargado que fuese al taller donde Gordon Eames se suicidó el día anterior.

—¿Estás sola allí? —le preguntó.

Hizo silencio. Estaba tenso. Luego dijo: «Bien, sobre el ala izquierda del avión hay una pieza que conecta el ala a la turbina. Alumbra esa parte de la maqueta, por allí debe haber alguna lupa que te ayude a ver mejor, remueve la pieza. Espero a que lo hagas».

Escuché su respiración. Me contagió la expectativa que ponía en lo que Liv Cornell estaba haciendo.

—¿Qué crees que hay? —pregunté.

—Una tarjeta de memoria. Era un zorro. Sabía que si dejaba un celular sin información, ellos no entenderían, pero yo sí. Es por la conversación que tuvimos cuando fui a verlo, estaba poniendo esa pieza y yo le dije algo sobre ella, sobre las pequeñas piezas que pueden acabar con todo…

Luego le dijo a Liv: «¿Qué encontraste? Guárdala contigo y no te separes de ella. Tienes que confiar en mí. No le digas de esto a nadie, vete a un lugar donde puedas mirar su contenido y, en cuanto lo hagas, llámame y llama también a Bob Stonor».

Dejó el celular otra vez y me miró.

—Consiguió la tarjeta de memoria. Estoy seguro de que ese contenido nos va a ayudar. Es que Katty Beresford y Stephen Millhauser necesitaban saber quién es el asesino porque es una amenaza para ellos. Es alguien que sabe sus secretos y deben darle caza. Pero creo que Gordon Eames aún no sabía quién era el homicida.

—¿Qué quieres decir con «darle caza»? ¿Crees que ellos serían capaces de asesinar?

Recuerdo haber pensado que si todos podían ser asesinos iba a ser difícil saber quién estaba cometiendo los crímenes del bosque.

—Creo que ha llegado el momento de que me cuentes sobre tus visitas a Jeremy Archer y a Laurie Bloom.

Le conté a Hans mis impresiones sobre ellos. También le hablé de Nora Clement. Había algo en ella que me desagradaba. Esa era la verdad. Tal vez esa impostura de mujer ordenada, que me recordaba el pasmoso orden que mamá imponía en casa como si las cosas marcharan bien, pero lo hacía con un asesino adentro. Después de todo, esa simulación de normalidad no había evitado que Richard se convirtiera en asesino. Ni yo tampoco.

Mientras hablaba, noté que Hans no iba a ninguna parte. Solo conducía y me escuchaba en silencio. Pasamos varias veces por la biblioteca de Green Bank. Lo recuerdo porque cada vez que lo hacíamos veía a una mujer apoyada sobre la cerca, inclinada hacia adelante con los brazos puestos sobre el pretil y mirando hacia la carretera. Me daba la sensación de que estábamos dando vueltas en círculos, pero no de manera gratuita, más bien, parecía que esa era la idea de Hans; bordear y bordear cada vez más cerca el centro de la espiral, que en este caso eran las casas de los principales sospechosos.

Entonces condujo más cerca de la casa de Archer y se

quedó observándola desde la carretera. Luego me preguntó cuál era la casa de Laurie.

Finalmente, cuando ya comenzaba a repetirme y agoté el tema sobre mis impresiones de Jeremy, Nora y Laurie, Hans detuvo el auto. Lo hizo luego de la intersección de la carretera de Slavin Hollow y el observatorio. Esperaba que lo de las lagunas mentales de Jeremy Archer le causara mayor impresión, pero no fue así. Me hizo entonces una pregunta que me desarmó.

—Si tuvieses que resumir con una sola palabra el encuentro que viste entre Grace y quien presumimos era Emma Porter, ¿cuál sería?

Recordé la escena, como cuando uno ve una película sin sonido, y traté de concentrarme en los gestos.

—Reclamo —dije con algunas dudas.

—¡Perfecto! Concuerda —me respondió sin ni siquiera preguntarme quién reclamaba a quién.

—¿A dónde vamos? —pregunté cuando me di cuenta de que se disponía a bajar del auto.

—A buscar la escena del crimen, antes de que llueva, aunque no creo que encontremos nada allí. Los chicos la han encontrado ya —respondió evidenciando un dejo de satisfacción—. ¿Cómo le quitas la cabeza a alguien sin dejar rastros de sangre?

Agrandé los ojos.

—Además, quiero que reconstruyas tus pasos del día de ayer hasta donde te atacaron, y luego tratemos de encontrar el lugar donde dejó los expedientes de las víctimas —me dijo.

Hizo silencio mientras subíamos la pequeña cuesta para entrar en el bosque. Después me tomó con suavidad por el brazo y me dijo:

—Este lugar no solo es el escenario de las decapitaciones. Es mucho más. Es como si dentro de él este hombre, o mujer, se convirtiera en otra persona. Como si los asesinatos entre estos árboles lo hicieran dejar de ser una persona común para convertirse en otra extraordinaria que cumple una misión. Y, por lo que ahora sabemos, esa misión es profiláctica. Quería acabar con los sujetos de experimentación del pasado, era necesario sacrificarlos sin tortura, y creo que incluso sin que ellos se dieran cuenta de que los mataría. He visto delincuentes juveniles que demuestran mayor sadismo que este asesino, y eso es una ironía, pues a la vez es un destructor fulminante.

Me dio la impresión de que estaba pensando en alguien que conocía muy bien cuando dijo lo de los delincuentes juveniles. Su semblante cambió, vi unas arrugas en su frente y en la comisura de sus labios, que iban hacia abajo, y el rictus se le hizo amargo en un segundo. Sobre todo reconocí tristeza en su mirada de pupilas contraídas.

—Casi parece que lo admirases —le dije.

—No lo admiro, pero lo comprendo —me respondió, sonriendo, con los ojos que se iluminaron y volvieron a ser los de antes.

Lo llevé al lugar donde me habían atacado. O más o menos. No es fácil estar seguro del sitio exacto cuando se está rodeado de árboles en un bosque como aquel. Más o menos di con él por el tiempo que tardé en caminar antes del ataque. Fueron diez o quince minutos a lo sumo.

—Fue aquí, Hans.

Miró hacia abajo, la tierra, las hojas revueltas, los troncos de los árboles que en contraste parecían negros. La atmósfera era fría y nebulosa. De alguna parte había llegado una neblina ligera, inesperada. Aquel era un lugar que podría sugestionar a cualquiera, y tal vez a eso se refería Hans cuando decía que el bosque era importante para el homicida.

De pronto tuve una idea inquietante. Sentí la boca seca,

el viento me llegó a los huesos. ¿Por qué hacía tanto frío? Al menos, yo lo sentía. La idea que se vino a mi mente fue que el asesino hubiese desarrollado una doble personalidad, con memoria independiente; una vez tratamos a una chica así en la oficina. Se llamaba Shenee. Sufría de delirio histérico. Dentro de ella había dos personas diferentes, cada una acompañada de memoria propia y separada por estados de vigilia y de amnesia total. Lo que hacía la chica en el día no era recordado por lo que hacía la chica de noche. A Madison el caso le atraía de manera morbosa... ¿Y si este asesino era así? ¿Y si era Jeremy Archer y eso era lo que me había querido decir al hablarme de sus lagunas? Quizá por eso no me asesinó, porque sabía que podía ayudarlo a que lo descubrieran y lo trataran. Yo era la única que sabía sobre sus lagunas según me había dicho, creo que ni Nora estaba enterada.

—¿Por qué crees que no me asesinó? —le pregunté porque realmente necesitaba una explicación que aclarara esa duda que se había quedado detenida en mi cabeza.

—Porque no es un asesino que actúa por impulso, ni tampoco creo que sea alguien despiadado. Asumo que no le gusta improvisar y solo asesina a quien considera necesario. Si es así, ya no debería volver a matar. A menos que...

—¿Qué? —pregunté.

—Que alguien se cruce en su camino, que lo haya visto cometer los asesinatos o que se interponga en sus planes que considera trascendentales.

—¿Por qué no te ha parecido relevante lo de las lagunas mentales de Archer?

—Porque creo que es mentira y que recuerda muy bien lo que hizo —dijo.

Me extrañó porque no sabía de dónde sacaba tal conclusión. No podía haberse hecho una idea de Archer solo con la lectura del informe, si ni siquiera lo conocía. Después continuó hablando, pero cambiando el tema.

—No hay marcas de arrastre en la tierra, por la bendita lluvia... Caminemos acercándonos al observatorio, hasta donde fue el concierto. Busquemos los árboles donde encontraste los papeles.

6

Mientras caminábamos cayó sobre nosotros un silencio distinto. Tenía una intensidad diferente a cualquier otro silencio que habíamos mantenido en el coche, antes. Tal vez estar allí entre los árboles otra vez, me había cambiado un poco. No sé por qué recordé el día que asesiné a Richard. Era un recuerdo que intentaba evadir, pero haber estado tan cerca de la muerte allí, pudo haber sido un detonante inesperado para que le hiciera frente a ese crimen de una vez por todas.

Maté a Richard no solo porque de no haberlo hecho él me hubiese asesinado a mí. Sino porque mi hermano era un asesino por naturaleza. Que Richard dejara de existir también significaba que yo le salvé la vida a alguien, que evité que, tal vez su novia de turno o cualquiera, hubiese muerto producto de sus actos violentos.

Era un criminal. Desde muy niña lo supe y él también debió haberlo sabido apenas tuvo conciencia de su identidad. Todos en casa de una u otra manera lo sabemos, solo que mi madre y mi hermano Patrick prefieren evadir la verdad.

Lipman sabe que yo también soy una asesina, aunque él

me llama de otra manera. Dice que los asesinos son aquellos que deciden matar sobre cualquier otra opción. También intenta convencerme de que en mi caso no existía ninguna otra salida. Es muy bondadosa su versión de las cosas y yo he intentado mantener esa bondad para conmigo misma, no siempre con éxito. Ya es un gran avance que le haya contado a mi psiquiatra lo que sucedió aquella tarde en casa.

Yo subía al ático y Richard me abordó, y sin mediar palabra me empujó hacia la pared junto a la escalera que conducía a la primera planta. Creo que aprovechó que no había nadie en casa. Yo pensaba que mamá estaba allí, pero estaba claro que él sabía que estábamos solos. Forcejeamos. Por alguna razón que todavía desconozco fui más ágil que él. No debía ser solo porque estaba borracho. Muchas veces pensé que el alcohol le transmitía una fuerza terrible. Pero aquel día no fue así. Tal vez lo había mezclado con drogas y por eso estaba más violento, pero a la vez estaba más vulnerable. No he vuelto a ver a nadie en ese estado de odio puro. Mi hermano me odiaba y por eso intentaba destruirme, pero no se había atrevido a hacerlo de manera definitiva, hasta ese día. Tuve la convicción de que estaba resuelto a acabar conmigo y creo que por eso mi cuerpo se defendió como nunca. Yo sentía sus manos y sus dedos clavarse como garras en la piel de mis brazos. Me agarró la cara y aplastó su mano contra mi nariz y mi boca. Tenía un olor dulce pegado a sus dedos, como a caramelo. Sus ojos mostraban una pura y horrible furia animal.

Richard me llevó al borde de la escalera. Podía sentir el aire detrás de mí. Iba a empujarme, quería romperme el cuello. Ya todo se acababa para mí, pero logré moverme detrás de él y sin pensarlo lo empujé con todas mis fuerzas. Unas que no he vuelto a tener.

Le vi caer, de espaldas, y escuché su grito. Ese último grito de mi hermano es el que todavía escucho, cuando algunas noches despierto empapada en sudor. Algunas veces me duele haberlo matado, y es por eso por lo que Lipman dice que no tengo «alma de asesina».

Bajé las escaleras y salí de casa corriendo. No volví sino hasta tarde en la noche.

Cuando llegué mi madre estaba sentada en el pórtico, sola. Me dijo que mi hermano murió porque había tenido un accidente en la escalera. Recuerdo su cara inexpresiva, seca. Creo que hasta pude haber visto en ella solo una cosa: descanso. Es un alivio que todavía le acompaña y que no puedo dejar de notar las pocas veces que le miro a los ojos.

Pero a la vez tengo la sensación de que mi madre sabe la verdad. Sabe que fui yo. Quizá de alguna manera se lo contara a Frank, y que por eso él le dijo a Madison que sabía lo que pasó con Richard.

Lo lógico era que confrontara a mi madre —al resolver este caso— y averiguara la verdad. Pero no estaba segura de poder hacerlo. Mi casa es un laberinto de cobardías y mentiras y puede que, dentro de mí, viva una réplica en miniatura de ese laberinto.

No he tenido el valor de hablar sobre Richard, aún. Solo con Lipman. Ahora menos que nunca quería que alguien más se enterara de mi crimen.

7

Caminamos hasta llegar al lugar donde creía haber despertado luego del ataque. Encontramos los clavos que sostuvieron los expedientes médicos de las víctimas. Eso me confirmó que era el sitio correcto.

Buscábamos alguna pista, algo que el asesino hubiese podido dejar, pero lo hacíamos sin muchas esperanzas. Era hábil, y hasta ahora todo le había salido bien. Todo menos la pérdida de los documentos que había sido, en todo caso, culpa nuestra. Fue en ese momento cuando me pregunté cómo reaccionaría el homicida al enterarse de que habíamos perdido aquello.

Fue cuando escuchamos un ruido, alguien estaba cerca.

Pensé que era él. Tuve miedo, pero eso no me paralizó. Hans puso la mano en el arma de inmediato y yo miré hacia arriba, para afinar el oído. Entonces escuchamos unas voces y unas risas. Parecían dos chicos. Uno con la voz ronca y el otro, el que reía, con una un poco más aguda. No entendía las palabras, pero la ligereza que imaginé por las risas significaba que no había ni estaban en peligro. Yo parecía tener la falsa idea de que todo lo que pasaba en aquel bosque era obra del asesino.

—Esperemos tranquilos. Creo que pasarán por aquí y quiero hablarles —me dijo Hans en voz baja.

Pasaron cerca de cuatro o cinco minutos y, efectivamente, las voces se fueron aproximando. Un pantalón azul y una chaqueta blanca. Fue lo primero que vi. Y una gorra de los Medias Rojas de Boston sobre una cara delgada de facciones muy finas y de nariz extraordinariamente pequeña. Ese era el de la voz grave. El otro era más alto. No tendrían más de quince años.

—FBI. Soy el agente Hans Freeman y ella es la agente Julia Stein.

—¡Ah!... qué susto nos han dado. Es por lo de los cadáveres sin cabeza —dijo uno de ellos y el otro dibujó una sonrisa que me pareció cruel.

—En efecto. ¿Qué hacen por aquí? ¿No le temen al asesino?

—No, porque solo mata a quienes no tienen familia. A los fantasmas del bosque.

—Calla, Kevin —le reprendió su compañero.

—¡Si es verdad! Los agentes lo saben. Todos lo dicen —dijo el chico más bajo, el de la gorra y la chaqueta blanca.

—¿Ustedes no han visto nada anormal en el bosque o en la carretera? ¿Estuvieron por aquí ayer?

—Quien hubiese estado habría visto al asesino. Eso es lo que quiere decir, ¿verdad? —preguntó Kevin.

—¿No han visto nada raro? —pregunté.

—Nada —me respondió el chico más alto.

—¿Vienen con frecuencia a esta parte del parque?

—Casi nunca lo hacemos. Vamos por el sendero del río con la bici.

—Pero a la mujer sí la habíamos visto, a la que mató… Lo hemos visto en la tele.

—¿Cuándo la vieron? —preguntó Hans, interesado.

—Una vez cerca del río. Pero cuando nos escuchó se fue corriendo. Yo creía que era de la gente que estudia el cosmos.

Hans le tendió la mano al chico de la gorra y le preguntó su nombre y dirección. Luego al otro. Les pidió que se mantuvieran por las cercanías del río y por el paso de los excursionistas. Me pareció detectar algo paternal en aquella despedida.

Los chicos se fueron por donde vinieron, murmurando algo. Pero al poco tiempo volvieron a aparecer.

—Aunque mi amigo no está de acuerdo, creo que será mejor que se los cuente —dijo Kevin—. Trabajo en la gasolinera, surtiendo combustible o en el taller. Todos me conocen de allí. Vivo al final de la carretera, con mis padres. Algunas veces salgo a… salgo de casa, y la noche del primer asesinato vi a un hombre pasar en una bicicleta hacia Arbovale, a toda carrera, era medianoche, más de las doce. Solo era una silueta, pero me pareció raro. No sé por qué. La verdad es que seguro no tiene nada que ver, pero…

—¿Se lo has dicho a alguien? —le pregunté.

—La verdad es que no. Es que pudo ser cualquiera. Algunas veces es gente que está de paso por el parque. Lo que pasa es que…

—¿En qué dirección lo viste?

—Eso es lo que me extrañó, pero seguro no es nada. Iba en dirección contraria a lo común. ¿Para qué alguien pasaría a toda velocidad por la carretera en dirección a Green Bank a esa hora de la noche?

—¿No podría ser una mujer? —objeté.

Movió los hombros hacia arriba y abajo.

—Podría —dijo, sonrió a Hans, dio la vuelta y desapareció.

Hans se quedó mirándolo, pensativo. Más bien, preocupado.

8

—Yo también lo he pensado. Que está la presencia de una mujer revoloteando esta historia. Sé que no me estoy explicando bien, pero no puedo hacerlo mejor, por ahora. Julia, ¿sabes algo de arte religioso? —me preguntó Hans mientras nos dirigíamos al lugar donde el asesino decapitó a Emma Porter.

—Muy poco. Mi familia es católica, pero creo que no sé mucho más allá de lo normal —le respondí.

—El significado de las decapitaciones, el esfuerzo por llevarlas a cabo es lo que quisiera entender —me dijo.

—Algo así mencionó Jeremy Archer. ¿Te comenté que Laurie Bloom me habló de la Biblia? —le confesé.

Hans se detuvo en seco al oírme.

—¿Qué has dicho? —preguntó mirándome fijamente.

—Sí. Al final me dijo algo como que ella tenía una Biblia…

—¿Por qué?

—Porque me pareció que mentía. Casi no hay libros en su casa y no parece ser una lectora aficionada. Y comenzó a hablarme de que había leído algo y de que el tema de las decapitaciones estaba en el ambiente. Por eso creía que mentía acerca de su rechazo al uso de Internet. Entonces, como sacando un conejo del sombrero, como usando una salida inesperada, me habló de la Biblia —le contesté.

—Eso que has dicho es muy importante, Julia. ¡Es fundamental! Ahora comienzo a ver las cosas desde otra perspectiva. ¡Fui un imbécil! ¡Debemos volver! La escena del crimen puede esperar.

9

—La muerte es helada e infinita, eso creen todos. Pero de verdad es una forma de empezar de cero, un nuevo comienzo. Una renovada conexión con otro pensamiento. Si no los hubiese asesinado, no podrían estar aquí conmigo, de esta manera tan especial.

Eso decía el asesino, sentado en una piedra plana, desde un área del bosque donde podía ver el cortafuegos y las montañas azules a lo lejos. Estaba seguro de que el equipo de investigadores forenses no lo encontraría allí, y si lo hacían, siempre tendría alguna buena excusa. Lo tenía todo calculado; al menos dos explicaciones creíbles. La gente se dejaba llevar por las apariencias de una manera ingenua que había que aprovechar.

Se pensaba acompañado de Leonard, Evan, Daniel y Emma Porter. Como si estuviesen allí con él, lejos del martirio de cargar con un cuerpo malherido y contaminado. Eran libres desde que los asesinó, a sus ojos.

Pensaba que los cuatro eran la primera y verdadera comunidad de habitantes inmateriales del cosmos. Pero entonces ella, Emma, le dijo que el agente del FBI no le gustaba, que estaba segura de que iba a descubrirlo. Tal vez era buena idea hacer que desapareciera, se dijo el asesino, porque no quería que nada destruyera sus planes. Luego, antes de dormir un rato, se preguntó si no había sido su culpa que el espíritu de Emma tuviese esas malas ideas que la hacían desconfiar. Tal vez su último pensamiento estuvo contaminado por la convicción de saberse traicionado por él. ¡Eso sería nefasto!, se dijo. Porque era obligatorio que ellos al morir permanecieran en paz. ¡No podía ser que se hubiese equivocado al cortarle la cabeza! Pero era posible, era la más inteligente... Decidió entonces esperar las señales del futuro y postergar la decisión sobre qué hacer con los agentes del FBI y con el cuerpo de Emma.

AHORA EL ASESINO se encontraba en casa y daba vueltas en el sofá, una y otra vez. Recordó la primera vez que consumió las drogas, solo para ponerse en el lugar de ellos, luego de ver el lugar del encierro. Aquellos dibujos en las paredes del sótano, bajo la caseta. Eran caras con los ojos desorbitados que lo miraban, como la representación del infierno de Dante, pero también desde ese día la voz del bosque se hizo más clara en su cabeza; la voz de los hombres del futuro que le hablaban entre los árboles y le pedían que arreglara las cosas. Era allí donde había guardado el cuerpo de Emma, donde antes estaban las bestias que lo miraban desde la pared y que aún lo asustaban porque ellas lo conocían mejor que nadie.

Se dio la vuelta otra vez y se quedó mirando la ventana, el contraste del rastro iluminado que se desprendía de la lamparita y llegaba hasta una pila de libros que había dejado desordenados. Entonces vio una telaraña que le pareció celeste y enorme, y se imaginó una gran araña negra vigilándolo en alguna parte. Era el problema de los bosques; los insectos, los animales que se escondían en las casas, detrás de las botellas, en cualquier rincón, pero era aquí donde estaba su misión, se repetía. Logró dormir unos minutos y soñó que la cabeza de Emma le hablaba y le cantaba, porque ella era la única que aún contaba con cuerdas vocales.

Eso sucedió en la madrugada, justo después de haberla asesinado y haber dejado su cabeza en la caja antes del concierto.

10

Volvimos apurando el paso y llegamos a donde me atacaron. En ese momento escuchamos el grito de un hombre. Recuerdo que brinqué y Hans reaccionó de inmediato. Puso la mano sobre la funda del arma. Con la otra mano me hizo señas para que no me moviera. Nos quedamos escuchando, inmóviles. Hans miró hacia la salida de la carretera. Parecía estar seguro de que el grito había salido de allá y no del bosque. Yo no tenía esa certeza. Entonces hubo un tercer grito y unos pájaros negros volaron sobre nuestras cabezas y se refugiaron entre los árboles.

—¿La casa de Laurie Bloom está más apartada que las otras?

—Sí —respondí.

—Llévate el auto y sal de «la zona silenciosa». Llama a Liv Cornell. Pídele que envíe oficiales allí —me dijo mientras corría.

Debo reconocer que tenía la falsa idea de que el asesino no quería acabar con mi vida, porque la noche anterior no lo había hecho. Como si la gente no pudiese cambiar de opinión. No he debido confiarme.

11

El hombre estaba atado de pies y manos, en la silla, en medio de la sala de Laurie Bloom.

Ella lo miraba con la mandíbula apretada y el cuello tenso. En una mano llevaba un hacha con la cuchilla oxidada.

—Ahora te haré enfermar a ti. Se acabarán todos los abusos —dijo mostrando los dientes.

Lo hirió en el pie.

El hombre gritó de dolor mientras veía salir la sangre y manchar sus pantalones a la altura de la tibia. Nunca había experimentado un sufrimiento igual, y sintió dolor en la cabeza y a la vez ganas de vomitar. Sintió que la orina mojaba la silla. Pero lo que más le preocupaba era la sangre, como si se fuera a quedar sin ella, como si fuera a secarse y a morir pronto.

—¡Condenada loca! ¿No ves que soy policía? No podrás salir de aquí, vas a morir en la cárcel como la bestia que eres...

Los perros ladraban.

Laurie comenzó a reír y se dirigió a la puerta donde el día anterior había estado el perro, cuando Julia la visitó.

Había un gran charco de sangre en el piso, bajo la silla donde estaba amarrado Ronnie Shaw, el agente de Policía que exhibía su celular en frente de la casa de Laurie.

—¿Quieres comértelo? —preguntó, pegando la oreja en la puerta y manteniendo una sonrisa forzada, sin que aparecieran arrugas alrededor de sus ojos. Mostraba los dientes, y el rostro comenzó a parecerse al de un zorro.

Al menos eso pensaba Ronnie Shaw, a quien el dolor en la pierna se le hacía insoportable. Comenzó a llorar y a apretar los puños. Necesitaba soltarse, pues, si no, estaba seguro de que esa mujer lo mataría.

La vio alejarse de la puerta y perderse por el pasillo.

El hombre movió la silla, arriba, abajo, intentando soltarse; y gritó levantando el mentón, mirando al techo. Vio las vigas llenas de telarañas, y ahora la pierna se sentía como metida en un cubo lleno de alcohol, de ácido. La tela del *jean* se veía negra, brillante, como si fuese un alga o una ventosa. Comenzaría a desvariar.

Ella volvió con el historial médico en la mano y se lo lanzó a Shaw, hoja por hoja, mientras veía que él cerraba los ojos por reflejo y luego los volvía a abrir aún más lleno de terror.

—Estoy muriendo por culpa de los aparatos que la gente como tú usa… Esa estúpida inconsciencia de la gente como tú es monumental. Pero ahora vas a ver cómo viven las bestias…

Terminó con los papeles y caminó de nuevo al pasillo. Volvió corriendo con el hacha en la mano.

El hombre estuvo seguro de que iba a cortarle la cabeza. Tenía que ser ella la asesina… Pero ella le había atrapado… Gritaba «no lo hagas», «no». Ya no le importaba el dolor de la pierna, solo quería seguir respirando.

Laurie estaba enfurecida. Cuando volvió frente a él se

detuvo y tomó con las dos manos el hacha; extendió el brazo izquierdo por sobre su dorso, como en una maniobra para cobrar más fuerza y dar el golpe final, el que acabaría con la vida de Shaw, pero entonces se paralizó.

Él ya había cerrado los ojos, esperando lo inevitable. No quería verla más, no a esa loca asesina.

Entonces sintió un corte en la mano izquierda, casi en la punta de los dedos, gritó y vio sus dedos abiertos, rojos.

Ahora estaba a punto de desmayarse.

—Me has obligado a hacer esto. Tú y la gente como tú, tan mandona, tan estúpida... —dijo Laurie en un tono diferente, más calmado, casi maternal.

El hombre hizo silencio. Comenzó a desear que acabara con él de una vez.

—Ves que nunca pensaste que yo era la vengadora de este lugar. Nadie me creía capaz de algo como esto... «allí va la loca», «sí que es rara», y resulta que la «rara» se levantó con la furia necesaria para acabarlos...

Ella elevó el hacha, y cuando iba a cortarle la cabeza, escuchó un ruido fuerte detrás y una palabra. Soltó de inmediato el hacha, que cayó haciendo un estruendo sobre la sangre del hombre.

Luego Laurie Bloom se quedó inmóvil, sin ni siquiera voltear. Pensó que, como siempre le pasaba, la habían vuelto a atrapar.

Cuando eso pensaba, volvía a verse como una niña perdida entre los campos de trigo, rogando que no la encontrasen y la llevasen a esa horrible ciudad que olía a carne.

12

DETUVIERON A LAURIE BLOOM.

Lo vi cuando la llevaban esposada y la metieron en el auto. Sentí lástima y me imaginé los titulares de la prensa, acusándola de ser la sangrienta asesina de Green Bank.

Hans me pidió que nos quedáramos en la casa de ella. Esperamos a que se llevaran al agente Ronnie Shaw.

Hans había salido un momento de «la zona silenciosa» para hacer el seguimiento al contenido de la tarjeta de memoria del celular de Eames. Supimos que en ella había grabada una imagen. Robert Ferguson hablando con Grace, Nora Clement hablando con Jeremy Archer, sentados en la primera fila de algún espectáculo, detrás se veían más personas; tal vez Samantha Hill, Caroline y un chico, otro hombre alto que miraba hacia abajo, como si limpiara sus lentes. Todos estaban sentados mirando hacia adelante, parecía que asistían a un evento. No parecían saber que habían sido fotografiados.

Eso fue todo lo que me dijo Hans cuando volvió. Una imagen enigmática en medio de otras de los nietos de Eames, que en sí misma no decía mucho, pero que debía de significar algo importante para que Eames la hubiese dejado oculta para Hans.

—No crees que sea ella, ¿verdad? —le pregunté.

Estábamos en el interior de la casa de Laurie Bloom. El mismo lugar donde yo había estado el día anterior. Pero en mi cabeza padecía una especie de trastorno de desfase horario. Era como si hubiese estado antes, mucho tiempo antes. Me fijé mejor en el lugar, era espantoso y lúgubre, y me dije que no quería estar allí adentro más tiempo del necesario. Mientras esperaba a Hans, había pensado en sus perros. Era imposible no hacerlo, ya que ladraban sin cesar. Parecía que supiesen que la dueña no volvería pronto. Los animales perciben los cambios más de lo que uno se imagina, me convencí.

—No es ella —dijo Hans y siguió—, no tiene el resentimiento necesario. El asesino posee un gran odio por lo que los Beresford representan, es algo mucho más elaborado, no tan «salvaje» como Laurie Bloom.

Ya me lo esperaba y compartía su punto de vista. Cuando él dijo que los Beresford podían haber creado un culpable a su medida, pensé en Laurie Bloom.

—¿A dónde íbamos cuando me dijiste que la escena del crimen podía esperar, antes del grito?

—Ya no importa. En ese momento comprendí que Laurie Bloom es una persona sugestionable, por algo que dijiste sobre su interés por las decapitaciones. Pero los acontecimientos se han precipitado y ya ha quedado comprobado. Creo que estabas en lo cierto. Ella sacó lo de la Biblia como una justificación, pero creo que alguien le habló de las decapitaciones antes de que ocurrieran. Y ese alguien que sabe sugestionar, que sabe sembrar una idea es nada más y nada menos que el asesino que buscamos.

—¿No tienes la sensación de que esto es una trampa? —le pregunté.

Estábamos de pie en la sala de la casa. El olor a fruta descompuesta, esa dulzona y repugnante emanación era intensa y se mezclaba con otra aún peor, la que se expide de la piel y el pelo mojado de los perros.

—Sí. Puede que todo el pueblo sea una trampa. Ya te ha hablado de la filosofía de la Fundación Beresford, que para mí resume en una promesa barata lo que quiere ser la gente. Te muestran ese triángulo brillante, ese resplandeciente poder, y te hacen creer que puedes acercarte a él, cuando en realidad buscan controlar todos los hilos a toda costa. Pero sí creo que Laurie ha caído en una trampa. Es una mujer violenta, desequilibrada, y muy capaz de asesinar. De hecho, si no hubiésemos llegado a tiempo, habría acabado con Ronnie Shaw. Hay mucha ira en ella. Nunca ha debido estar aquí, sino en un lugar con cuidados necesarios. He pedido que contacten a su hermano porque hay un par de cosas que me gustaría comprobar. Pero es verdad lo que dices, esta casa es una trampa. Lo único bueno es que ahora mismo todos creen que ella es la asesina, y eso nos conviene en parte.

¿Cómo podría eso convenirnos? Más allá de que el verdadero asesino se despreocupara, y se sintiese a salvo, no veía otra cosa. Si como Hans decía, estaba convencido de que tenía una misión, era posible que esta todavía no hubiese terminado. Tal vez cuando se empezaba a asesinar con tal convencimiento era imposible parar, era como una batalla eterna.

—¿Recuerdas cuando te dije que podrían haber creado un asesino a la medida? Tengo la idea de que a Laurie Bloom le han «ayudado» a perder la cabeza. Es la candidata ideal para resolver los asesinatos, para que nos vayamos de Green Bank y los dejemos en paz por no tener nada en contra de ellos. El asesino nos lo dejó y lo perdimos...

Me acordé de la situación con el supuesto oficial Graham. A ninguno de los dos nos pareció sospechoso.

—Graham..., ¿tú lo recuerdas? —le pregunté a Hans.

—Sí, y creo que hoy hemos visto a su padre. Los lóbulos de las orejas son idénticos y la forma de la cara. ¿No lo notaste? —me preguntó extrañado.

Se refería a Ronnie Shaw. Luego comprobamos que el falso Graham era, efectivamente, hijo de Shaw y ambos estaban al servicio de Katty Beresford.

—Ahora debemos buscar algo que nos parezca «desubicado». Como un objeto que no pertenezca a este lugar. Julia, me gustaría que volvieras a contarme la conversación con Laurie, lo mejor que puedas. Haz un esfuerzo por recordarlo todo. Puede que te haya dicho algo importante sin saberlo.

Le conté la visita como si la estuviese reviviendo, mi entrada a aquel tétrico lugar; la actitud retadora y agresiva de Bloom; sus prejuicios; lo de los animales que imaginé hambrientos y el «cuidado» de su madre moribunda; lo del restaurante del lago que odiaba y lo de Caroline...

—¿Quién es Caroline? —me interrumpió Hans.

—Caroline Johanson, la de la cafetería...

—¿También estaba en el concierto? ¿Es amiga de Laurie? —Hans estaba exaltado.

—Según parece, su única amiga, aunque son muy diferentes; Caroline es joven, integrada socialmente, perteneciente a la Comunidad de Estudio Extraterrestre.

Eso era lo que buscaba Hans. Y ahora tenía nombre: Caroline Johanson. La persona más significativa en Green Bank para Laurie Bloom, a quien quería alejar de la Comunidad y de Jeremy Archer.

Entonces me invitó a recorrer la cocina. Buscamos en las

estanterías, en la despensa, sobre la mesa que estaba llena de platos con restos de comida. Pero había una cafetera de cápsulas que parecía querer decirnos algo, era como un premio para nosotros. La miramos y caminamos hacia ella. Era una *Nespresso* que se mostraba reluciente, como distante de toda la suciedad que le rodeaba. Era como el trozo de queso en la ratonera en la cual había caído Laurie Bloom. Hans abrió una gaveta cercana a la cafetera. Al hacerlo, escuché ese ruido característico de las puertas viejas, como un quejido en el ambiente. Allí estaban las cápsulas metidas en un frasco de galletas sin tapa.

Tuve la intuición de que contenían algo malo. No debía de ser difícil lograr con las sustancias adecuadas que una persona modificara su conducta, que se profundizaran sus trastornos para cumplir ciertos fines. Además, los Beresford tenían experiencia haciéndose de aliados, espiando y manipulando sustancias alucinógenas para torcer la voluntad de personas vulnerables.

El truco más importante en este trabajo consiste en la imaginación. Uno tiene que dejar aparecer una forma de imaginación que te permite conectar dos cosas que aparentemente no tienen conexión. Y el punto de inicio casi siempre son las incoherencias. ¿Qué hacía Laurie Bloom con una máquina de hacer café tan moderna y nueva en medio de la forma de vida tan diferente que arrastraba consigo? Y después eso nos lleva al café, a la cafetería y a Caroline, quien ya para esas alturas Hans y yo suponíamos empleada y espía de los Beresford.

Hans me entregó unos guantes azules y me los puse. Él sabía que yo había comprendido, que tenía una sospecha en la cabeza, que ya comenzaba a pensar con imaginación criminal; que evolucionaba a buen paso; que las ocurrencias oscuras como sombras estaban en mi cabeza comandando.

Sentí la piel de las manos elástica, fría, tomé el frasco con las cápsulas y saqué las cinco que contenía. Me entregó una bolsa pequeña con solapa adhesiva y metí una a una. Cerré el envoltorio mientras recordaba mi visita del día anterior. Si se me hubiese ocurrido antes lo que ahora pensaba, quizá hubiese evitado que a un hombre le cortaran el pie y la mano. Así de importante era mantener el estado de alerta conmigo a cada minuto en mi nuevo trabajo.

Era irónico confirmar que quien veía peligros de contaminación y enfermedad en cada rincón hubiese sido drogada por la única persona que creía cercana. Para ese momento, pensábamos que Laurie Bloom era una víctima. Teníamos que concentrar nuestras sospechas en Jeremy Archer, Robert Ferguson, Nora Clement y en Grace Tennant Beresford si nos guiábamos por la fotografía de Gordon Eames. Porque Hans pensaba que los Beresford habían iniciado su propia investigación sobre quién o quiénes eran los asesinos de Green Bank para darles caza antes que la Policía, para que dejara de desenmascarar sus secretos. Ellos tenían todos los recursos para hacerlo. Por algo Gordon Eames había dejado la imagen que los implicaba a ellos como una pista. Tal vez hubiesen estado vigilando a otras personas desde que comenzaron los asesinatos, pero solo dejó ese archivo en la tarjeta de memoria. Y eso debía significar algo importante.

Salimos de la cabaña. Era la primera vez que guardaba evidencia para el FBI de una manera oficial, y eso me hizo sentir poderosa. Miré la copa de los árboles doblarse y una brisa de lluvia cayó sobre mi rostro. Me pareció ver un dron sobre ellos; su forma de cruz; su color gris oscuro o tal vez negro.

—Sí, Julia. Nos vigilan… nos vigilan de mil maneras —dijo Hans y levantó la mano en señal de saludo, retando a los Beresford.

13

DETENIDA LAURIE BLOOM, residente de la población de Green Bank, por haber atacado al agente de la Policía del condado de Pocahontas Ronnie Shaw. La mujer lo atacó con un hacha y gracias a la rápida acción de los cuerpos policiales y el FBI se evitó que acabara con su vida. Todo apunta a que Bloom es la asesina del hacha que ha tenido atemorizada a la población de Green Bank durante las últimas semanas, en uno de los poblados más pequeños del país que todos creían un apacible lugar donde nunca pasaba nada…

—¡Cretinos! ¡Cuántas mentiras son capaces de contar! —exclamó el asesino, mostrando sus dientes incisivos y lanzando el periódico a la basura.

Se encontraba en una habitación pequeña, solo. No había encendido la lámpara y el efecto de media luz, que se debía a la escasa claridad que entraba por debajo de una corta ventana corrida, daba la sensación de que estaba anocheciendo. El tictac de un reloj antiguo marcaba el paso del tiempo después del grito cargado de ira.

Sintió la frente entumecida y la piel sobre los pómulos como a punto de reventarle. Pensó que tal vez tenía fiebre, pero eso no era importante en ese momento, se dijo. Sabía que había que conservar la calma. Culpó a Katty Beresford de la confusión con Laurie Bloom.

—Todo lo que tocan muere y brilla, como el rey Midas —dijo cuando dos lágrimas resbalaron de sus ojos—. Hasta ella ya lo sabe... —completó.

Despejó la humedad en su cara y miró hacia el frente; un jarrón con unas flores muertas, varios pétalos negros sobre la mesa y los cristales de un cuadro reflejándolo, desfigurado, como si fuera un monstruo. Tenía que volver al bosque para recobrar la vitalidad y la templanza, para reconocer las señales que solo se presentaban allí junto a los árboles milenarios de troncos brillantes, allí donde estaba el reloj que solo él había sabido descifrar, junto al río. Recordó los peces sacados con anzuelo, los grandes ojos que pedían la vida y reflejaban la muerte al mismo tiempo. Además, debía explicarles a los niños, o, mejor dicho, a los hombres con almas de niños, el motivo del retraso y de la confusión en los planes con la estúpida detención de Laurie Bloom. Pero tenía que ir al bosque, junto a la caseta, y pensar al lado de los árboles. Esos eran sus únicos amigos desde siempre. Mucho más que los animales.

Imaginó que tendría que volver a asesinar a alguien en aquel pueblo de condenados y de gente sin corazón, de cuerpos podridos con la muerte en la mirada, como los peces brillantes del río cuando estaban sobre el hielo del mercado, para que comprendieran que Laurie no era culpable.

PARTE IV

1

—¿Dónde has dejado el cuerpo? ¿Por qué una de las víctimas sí tenía cuerdas vocales? —preguntaba Hans al asesino, imaginándolo frente a él, aunque realmente lo hacía soltando las palabras al aire, en la sala de la cabaña que había alquilado, caminando de un lado a otro. Era la mañana del quinto día en Green Bank y quería hacer un recuento sumario de lo que hasta ahora sabía sobre el caso. Había estado trabajando en ello desde que salieron de la casa de Laurie Bloom.

Esperaba que le avisaran que habían encontrado el cuerpo de Emma Porter. Había visitado la escena del crimen, pero más allá de la sangre sobre un lecho de hojas amarillas y un manto de pequeñas piedritas grises y blancas —como de río —, no encontraron nada, tal como él supuso. Ahora miraba una y otra vez desde su portátil la fotografía hallada en el ala del avión en casa de Eames. Averiguó que el evento se trataba de una actividad de la Comunidad, en el bosque. Era la visita de un famoso físico fundador del grupo de estudio. Tuvo lugar hacía seis meses en el mismo sitio donde se había dado el concierto interrumpido por el hallazgo de la cabeza de Porter. Hans miraba una y otra vez cada cuadrante de la fotografía, aplicaba *zoom* y volvía a mirar. Sintió ardor en los ojos y los estregó de tal manera que un lente de contacto se desplazó. Intentó arreglarlo y continuó mirando fijamente las caras; Grace, con el ceño fruncido y los ojos como si estuviera viendo algo importante, hablaba a Robert Ferguson, quien, echado hacia atrás con la espalda reclinada en la silla, tampoco la miraba, solo mantenía un tanto ladeada la cabeza. Visto de manera objetiva, parecía que ambos estaban poco interesados en lo que fuera que pasaba frente a ellos —tal vez fuera el científico fundador de la Comunidad de Estudio Extraterrestre hablando del cosmos—, pero ambos aparentaban, y por ello no dejaban de mirar al frente. También se notaba, por las expresiones faciales, desagrado, irritación, tal vez incomodidad entre ellos o hacia algo indeterminado.

Luego estaban Jeremy Archer y su novia, también conversando, pero esta vez sí se miraban a la cara; no parecía importarles nada más. Pero no había sonrisas, sino preocupación.

En Nora Clement había ansiedad; tenía las manos entrelazadas y una de ellas ejercía presión sobre la otra, los dedos tensos como garras, hasta podría estarse clavando las uñas de la mano derecha en el revés de la otra mano. Jeremy tiene las piernas cruzadas, la izquierda sobre la derecha, y ligeramente inclinado al lado contrario de Nora. Tal vez la rechazaba, tal vez ella lo asfixiaba. Y, finalmente, al fondo, el perfil de un hombre alto que Hans no logró identificar, miraba hacia abajo y limpiaba sus lentes.

Hans pensó que tenía que enviar esa imagen a algún experto en análisis de lenguaje corporal que fuera capaz de ver algo más. ¿Por qué Gordon Eames había dejado esa fotografía? Era lo bastante «inofensiva» como para que si otra persona la encontraba no entendiera, y lo bastante sugestiva para que él comprendiera que era importante. Ni siquiera era una buena foto y no tenía ningún sentido guardarla, a menos que uno de los últimos deseos del exjefe de Policía fuera darle una pista. Sería buena idea ir al funeral de Gordon Eames, se dijo.

2

Me encontraba de camino a la cafetería de Green Bank. Habíamos acordado que diera una vuelta por el pueblo para escuchar y mirar la reacción en cuanto a la detención de Laurie Bloom. Todavía no teníamos los resultados del análisis de las cápsulas de café que habíamos sacado de la casa de Bloom, pero tanto yo como Hans esperábamos encontrar sustancias alucinógenas dentro de ellas. Creíamos en la tesis de que Katty Beresford o Stephen Millhauser, o la misma viuda de Winston, necesitaban encontrar un chivo expiatorio al cual culpar de los asesinatos, ya que la culpabilidad depositada en el Loco Tom no había resultado creíble. Pensábamos también que Caroline, la trabajadora de la cafetería, había regalado a Laurie esas cápsulas y la máquina de café con un fin muy claro: alterarla aún más, lo que desató la exagerada hostilidad y paranoia que la mujer había mostrado las últimas semanas.

Quería conocer a Caroline, incluso antes de que los análisis de las cápsulas estuviesen listos, por eso no dudé en dirigirme al local a pedir una gran taza de café.

Notaba que el pueblo había cambiado desde la detención de Laurie Bloom. Ahora todos creían que el asesino había sido atrapado y se respiraban aires de alivio, como si esperasen, de un momento a otro, que el FBI se fuese por fin para que ellos pudiesen seguir la vida con normalidad, lo cual significaba convivir junto con los oscuros secretos de la familia Beresford. Acababa de ver uno de los benditos anuncios que publicitaban la acción de la familia en la escuela a un lado de la carretera, casi en la entrada de la cafetería. Los Beresford eran como un animal con múltiples tentáculos que se apoderó del pueblo por completo.

Crucé la puerta de la cafetería y me pareció demasiado pesada. Luego escuché ese tintineo propio de los negocios tradicionales que anuncia que un nuevo cliente ha llegado. Varias personas voltearon a verme. Allí estaba la mujer de la pequeña manifestación en la carretera, la que me dijo que me fuera apenas hacía dos días; un niño vestido con una franela de rayas muy vivas, amarillas y verdes, con el pelo dorado y los ojos repletos de pestañas, que hablaba con un joven que parecía ser su hermano. Estaba una mujer que creí haber visto en el concierto, aunque aquel recuerdo se me mostraba difuso, como perdido en una nebulosa. Más allá, en una mesa cercana al mostrador, estaba un hombre mayor, que llevaba puesto un sombrero negro y un abrigo raído de color gris plomizo. Algo en su actitud me puso en mayor estado de alerta. Era la perspicacia que emanaba de su mirada, esa exagerada curiosidad que el hombre depositaba en mí, como la que pesaba en todos los del pueblo antes de que Laurie hubiese sido detenida. Pero esa tranquilidad de no saberse más acechado por un sangriento homicida no había permeado en aquel hombre. Tal vez él, y muchos más del pueblo, pensase que Bloom no era la asesina. Y tenía razón.

Caminé hasta el mostrador, me senté en un banco

circular de madera oscura y pedí un café solo a una chica que lucía agradable, de ojos y pelo negrísimos, que evidentemente era de ascendencia asiática. Sí, Caroline también era simpática, tal vez había sido eso lo que le gustó a Laurie, esa diferencia con el resto del pueblo. Todos eran demasiado serios, como si siguieran la corriente de una vida que no gobernaban ellos mismos; como si fueran esclavos resignados.

Vi sobre el mostrador dos ejemplares de periódicos. Ambos en primera página destacaban la noticia de la detención de Bloom. En ese momento escuché unos pasos muy cerca de mí, justo detrás. Era la mujer que había visto en el concierto quien se detuvo a mi lado, me ignoró como si fuera invisible, pagó a la chica simpática, se despidió y salió de la cafetería. Escuché las campanillas de la entrada aún más fuertes, con un último sonido agudo que retumbó. Me dio la impresión de que salió de prisa.

La chica me trajo la enorme taza de café humeante y le pregunté por Caroline Johanson.

—Se ha ido. Ha renunciado hace apenas unos momentos…

—¿Se ha ido del pueblo? —insistí.

—Sí. Eso dijo que haría.

Entonces mostré la identificación del FBI. La chica agrandó los ojos y aspiró profundamente, luego cortó la respiración un segundo. Después de un instante de silencio y de un «vaya», continuó hablando.

—Ya lo sabía, que usted era de ellos, pues todos lo sabemos, pero no pensaba que me estaba hablando como oficial, sino como cliente, y mire que es diferente...

—Claro, pero tranquila, solo estoy aquí para tomarme un café.

—Así debe ser, porque ya la han atrapado, ¿verdad? Era

esa mujer. Desde que lo vi supe que estaba loca como una cabra.

—¿Venía mucho por aquí? —pregunté al tiempo que dejaba la taza sobre el mostrador.

—Sí lo hacía. Pero solo Caroline la atendía. Me resultaba extraño que tuviese tanta paciencia con ella, porque normalmente no era así.

—¿Así cómo? —pregunté.

—No era tolerante. Pero no sé, tal vez las reuniones a las que iba, esas ideas de las señales y todo eso, cambia a la gente.

—¿Esta cafetería regala cápsulas o sobres de café a los clientes? —pregunté, mirando las máquinas de hacer café que estaban frente a mí y de espaldas a la chica.

—Claro. Es una promoción. Es esta. —Le mostró un papel satinado donde había un chico sonriente y unas letras. Ponía las palabras «regalo de lanzamiento de cápsulas Black y Coffee ice».

—¿Podrías mostrarme alguna?

—Seguro. Ya se las traigo —me respondió.

El hombre del sombrero no dejaba de mirarme, sin disimulo, casi con violencia. Lo presentía, y cuando movía la cabeza hacia donde se encontraba, lo comprobaba.

La chica, quien se llamaba Anna de acuerdo con la identificación que portaba, trajo las cápsulas y resultó que eran idénticas a las encontradas en casa de Laurie Bloom.

—¿Ha dejado Caroline algún número de celular donde ubicarla, o alguna dirección?

—No lo ha hecho. No éramos amigas, solo compañeras. Ella estaba de lleno en la comunidad esa del cosmos —dijo Anna.

—¿Y qué opinas tú de «la comunidad esa del cosmos»?

—Nada bueno. Que oyen lo que quieren oír y que son demasiado complicados para mí. Son como eternos descontentos, nunca están conformes con nada, y les gusta pensar en cosas raras.

—¿Y de la Fundación Beresford? —continué preguntando.

—Normal. Lo llevan bien. El edificio es ultramoderno y la escuela está bien. Mi hermano asiste allí…

—Dime cuánto te debo.

—Uno con veinte —dijo la chica y luego se me acercó un poco, inclinándose sobre el mostrador, para hablarme en tono de confidencia—. No se preocupe si ha notado que no somos muy hospitalarios que digamos. Es un pueblo chico y, encima, lo de los asesinatos ha sacado lo peor de nosotros, aunque eso suene a cliché. No somos muy amables con la gente nueva, pero yo considero eso una hipocresía; porque todos nos hemos querido ir en algún momento, y ahora desconfiamos de quienes no son de aquí. No tiene sentido. —Ahora volvió a enderezar su cuerpo—. Ha venido una chica de un periódico y ha hablado con muchos de nosotros, aquí mismo, en esa mesa de allí. Dicen que ha ido a la Fundación también y que ellos, los Beresford, le han hablado.

—¿De qué han hablado? ¿Lo sabes? —le pregunté.

—Hace un trabajo sobre los crímenes, pero para mí, ahora que se ha atrapado a la culpable, lo que sigue resultando intrigante es de dónde salen los cadáveres, quiero decir, quiénes eran esas personas. Hemos visto a la chica del periódico ir al bosque a tomar fotografías. Dicen que a Albert Lexton le han ofrecido una buena cantidad de dinero por unas fotografías que él tenía del bosque. Y que han hablado con la propia Katty Beresford, tomándole una foto con el observatorio detrás. No sé, pero yo siento que esto es como si hubiese caído una bomba aquí, y todo está «movido» desde el primer decapitado…

—¿Te parece?

—Sí. Tal vez nos están mirando demasiado a todos, y ya deberían mirar solo a la asesina. Si nos miran mucho, empiezan a salir cosas raras, creo yo. ¿Ha visto hoy el periódico? Allí he leído la vida de la asesina. Ya era violenta desde antes, en un restaurante antes de venir aquí, donde amenazó con un cuchillo a alguien. Pero bueno, usted debe saberlo, porque es del FBI. Disculpe que le haya dicho todo esto...

—Me ha sido muy útil hablar contigo, Anna. Una pregunta, cuando has dicho gente nueva, ¿te has referido a alguien en particular?

—Es que con lo del observatorio y la moda de los extraterrestres ha venido, por ejemplo, el profesor...

—¿Robert Ferguson?

—¡No, qué va! Ese ya es un Beresford. Aunque dicen que el noviazgo con la estirada Grace duró apenas dos meses, ella venía de Europa, venía triste por algo, y era cierto porque yo la vi una vez y parecía un espectro... Hablo del otro, el que está en la cabaña: Jeremy Archer, y también de su novia. Ellos siempre serán considerados aquí como forasteros, y no hacen nada para integrarse tampoco. Ella se la pasa corriendo de un lado a otro sin hablar con nadie. Y él se la pasa metido en el bosque. La otra persona que llegó hace seis meses también fue Laurie Bloom.

—¿También?

—Sí. Recuerdo que hace seis meses llegaron todos; el profesor, la novia y Laurie Bloom. Lo recuerdo porque fue para mi cumpleaños. Caroline también llegó por esa época.

Pagué el café y salí del local, pensando en la imagen de la bomba que Anna había soltado. Noté un revuelo, gritos, dos personas murmurando y otra acercándose a un área del estacionamiento.

Corrí a donde estaba la concentración y miré al asfalto. Era solo un chico que se había caído de la bicicleta y tropezó con un auto que salía. Sentí alivio, pues pensé que algo grave había pasado, y recordé a la mujer del concierto. No sabía por qué la recordé. En ese justo momento, cuando pensaba en ella, volví a verla. Corría en el estacionamiento, y se subió a un auto con rapidez como si alguien la persiguiera.

Me devolví a la cafetería y esta vez no hice caso del estruendoso sonido de la puerta ni de las miradas. Anna no estaba a la vista. Tomé los dos ejemplares de los periódicos que estaban sobre el mostrador y salí del lugar. Una vez en el auto leí todo lo que traía sobre Green Bank, Laurie Bloom y los crímenes.

—Si nos miran mucho, empiezan a salir cosas raras... Ahora todos quieren saber cómo somos —repetí las palabras de Anna y experimenté un temblor repentino.

Luego sentí el sabor del café en mi boca, más amargo que de costumbre. ¿«La chica simpática» me habría puesto algo al café? Pensé que estaba contagiada de la desconfianza de Green Bank, pero a la vez me parecía que esa ocurrencia no tenía que ser del todo disparatada. Porque cuando todos eran sospechosos, reservados y recelosos, quien uno menos esperaba podía ser el más peligroso.

Ese era el principio invariable de las novelas que leía cuando niña. Por ejemplo, Richard, quien para todos resultaba un chico simpático... Volví a temblar, pero esta vez por los recuerdos que mi hermano traía consigo.

3

—Un coctel de alucinógenos había en las cápsulas de café en la casa de Laurie Bloom —le dijo Hans a Julia apenas esta cruzó la puerta de la cabaña, a las diez de la mañana.

Hans estaba sentado en un sillón en la sala, con la cabeza descansando en el espaldar y lucía agotado.

—Ya han confirmado la identidad de las otras víctimas con el programa de envejecimiento facial. Eran los niños raptados. Me temo que los utilizaron, y luego les extrajeron las cuerdas vocales por alguna razón. No sé si era parte del programa o si lo hicieron para que no pudiesen comunicar de manera más efectiva las terribles cosas a las cuales los sometieron.

—¿Qué haremos ahora? —preguntó Julia después de sentarse frente a él en el sofá.

—¿Qué traes allí? —preguntó Hans, inquieto.

—¿Esto? —dijo Julia levantando los diarios que cargaba en la mano—. Noticias sobre Bloom. He visto de camino hacia acá furgones de cadenas televisivas en Arbovale... Es que la noticia de estos crímenes es demasiado «sustanciosa», y la de esta «criminal» en medio de un pueblo como este, tan…

—Inofensivo. Lo sé. ¿Y por qué los has traído contigo? Esos periódicos. Eso significa que has leído algo en ellos que has considerado importante.

Julia lo miró y sonrió.

—Sí, pero no sé qué es —respondió. Le contó la conversación con Anna y la desaparición de Caroline Johanson, y la presunción de que fue ella quien le había dado a Laurie Bloom las cápsulas de café.

Hans se jaló el lóbulo de la oreja.

—Habría que hablar con Bloom, pero ha caído en un estado crítico. La tienen sedada. Es un problema adelantar con ella, por su condición. Debemos esperar para interrogarla. Déjame leerlo. Tal vez yo pueda ayudarte a ver más claro, lo que te molesta de esas noticias.

—Seguro —dijo Julia, se levantó y le entregó los papeles.

Hans se dio su tiempo en leer. Un tiempo silencioso y exasperante para Julia, quien se había sentado en una incómoda silla que parecía próxima a desarmarse de un momento a otro, pero que le permitía mayor cercanía con Hans. Cuando se sentó, la madera crujió y Hans ni siquiera se inmutó. Julia tuvo la impresión de que, cuando se ensimismaba, no habría ningún estímulo que lo hiciese salir de su estado.

—No veo nada —dijo Hans al terminar la lectura y poner los papeles sobre el sofá. ¿Y has dicho que la chica de la cafetería te ha hablado de otros reportajes sobre gente del pueblo?

—Exacto. Pero no creo que hayan salido publicados aún. Habló de una reportera que ha estado escarbando en la vida de la gente —comentó Julia.

—Creo que sé quién es. La encontré en el bosque. Llamaré a alguien, y lo que sea que la chica haya encontrado va a tener que compartirlo con nosotros. Nos pedirá a cambio alguna cosa, y algo le daremos. Algo como que «el FBI no cree que Laurie Bloom sea la asesina de Green Bank». Lo diremos cuando nos convenga, y estimo que eso será pronto.

—Podrías llamarla. Tengo la impresión de que lo que esa mujer ha investigado puede sernos muy útil.

—Yo también. Hoy debemos hablar con el padre Lucien During para que nos cuente lo que Grace fue a decirle después de nuestra entrevista, y luego visitaremos a Jeremy Archer y Nora Clement en su casa. También tendremos que ver de nuevo a Robert Ferguson, aunque no porque crea que sea el asesino.

—¿Para qué? —preguntó Julia.

—Porque creo que uno de ellos, Grace, Jeremy o Nora, es el asesino.

—¿Lo dices por la imagen que te dejó Gordon Eames?

—Sí. He pasado horas mirándola. Y, aunque he resuelto algunas cosas, es decir, aunque he armado el rompecabezas hasta cierto punto, aún no tengo claro algunos aspectos importantes. Pero aquí todo se reduce a los cuatro de esa fotografía, estoy seguro de que eso fue lo que, en un arranque de culpa, quiso decirme Eames. Claro, yo ni siquiera conozco a Jeremy Archer ni a Nora Clement. Mi opinión sobre Ferguson sigue siendo la misma: no tiene la personalidad que preveo del criminal, y creo que es un sirviente fiel de los Beresford.

—¿Sirviente?

—Sí. Hemos revisado las cuentas de Wilkinson. Ferguson le ha transferido cantidades importantes. La mayor fue el mismo día en que se presentó en la comisaría a informar que había visto a aquel hombre cerca de donde hallaron el cuerpo decapitado de Leonard Bex. Así que los Beresford idearon ese culpable para que las aguas volvieran a su cauce y se dejara de investigar. Para ello, el operario es Ferguson. Creo que Katty

Beresford ha llegado a un acuerdo con él; dinero a cambio de compañía para su hija y favores de cualquier naturaleza. No sé qué tanto sabe Grace de todo esto, y es por eso por lo que quiero hablar con During.

—¿Y por qué no puede ser Robert Ferguson el asesino?

—Porque lo mueve el dinero, y estos no son crímenes por dinero —replicó Hans.

—¿Y si son crímenes ideados por Katty Beresford? O por su esposo, bajo la dirección de la madre de Katty, quien debe saber todo sobre las acciones de Winston.

—Pensé al principio que se trataba de crímenes colectivos, pero me he ido alejando de esa idea cada vez más. Creo que se trata de un asesino, o asesina. De uno solo. Claro que puedo equivocarme, pero, en todo caso, no es el estilo de los Beresford, y si hubiesen querido acabar con esos pobres infelices, hubiesen podido hacerlo de formas mucho más efectivas y no dejándolos decapitados en el bosque en áreas donde íbamos a encontrarlos, cuando mucho, al día siguiente. Además, recuerda que el asesino nos dejó los expedientes médicos que, estoy seguro, significaban pruebas contra los Beresford. No es su amigo precisamente.

—Es cierto —respondió Julia.

—Pero si son crímenes colectivos o se trata de un asesino y algún, o algunos cómplices, se trataría de una comunidad de creyentes en algo. Y eso me lleva a la Comunidad, la que justamente estudia Jeremy Archer. Y volvemos a él, otra vez, sin coartada sólida a los ojos de los perfiladores y ahora con el cuento de las lagunas mentales.

—Nunca entendí por qué no crees que padezca de ellas. Quiero decir, podemos poner en tela de juicio todo lo que dicen los sospechosos, pero, en este caso, lo has despachado de una vez sin más. De inmediato has dicho que eran mentiras. ¿No te parece que es una explicación sobre sus acciones las noches de la comisión de los asesinatos tan jalada de los pelos que pudiera ser verdad?

—Jeremy Archer es un intelectual, y no conozco uno solo de ellos que, ante un evento como ese, me refiero a no saber qué haces durante unos episodios de tiempo determinados, se quede tan tranquilo, como si tal cosa se tratase de algún resfrío. ¿Y él qué hace?, pues nada, se queda aquí y sigue escribiendo su trabajo de investigación como si no pasara nada. No me cuadra —explicó Hans.

—¿Pero sí estaba preocupado? Me lo pareció…

—Aunque no lo suficiente. Un tipo como ese, vanidoso y creyente de sus múltiples capacidades, no esperaría sentado a seguir padeciendo de olvidos y mucho menos soportaría la incertidumbre de no recordar lo que hace. Creo que recuerda perfectamente lo que hizo durante esas horas y por algo no quiere decirlo. Y, por otro lado, si Nora Clement no sabe qué hizo Jeremy Archer, también es verdad que este no sabe qué hizo ella. ¿Verdad?

—Sí. Pero cuando asesinaron a Leonard Bex, Nora estaba en Washington por trabajo.

—¿Sí? Eso dice ella, y creo que los muchachos también lo creyeron porque cuentan con una grabación del peaje a la salida de Arbovale en donde se reconoce su auto, pero bien lo pudo estacionar en cualquiera de las entradas del bosque y volver corriendo, cometer el asesinato y luego seguir su camino. Has dicho que es atlética y que conoce el bosque. También pudieron ser los dos, uno en papel activo y el otro como seguidor. Son nuevos residentes de Green Bank y pueden odiar a los Beresford y no haber entrado en la telaraña que ellos han tejido sobre la población. Aunque sigo sin creer que sea más de un asesino.

—Podrían, y, de hecho, creo que Jeremy Archer lo hace; los odia. O al menos le desagradan. Aunque no Grace…

—Eso podría ser una farsa. Y Jeremy Archer tal vez crea con pasión en lo que investiga, tanto que quizá se vea como un líder de todas las teorías que ha leído y estudiado durante años. Podría padecer de eso que llaman «buena fe», que es cuando uno se transforma a sí mismo en otra persona consumida por un rol. Puede estar convencido de que es un mesías en una forma de religión ovni. Porque, Julia, de lo único que estoy seguro es de que nuestro asesino es un convencido de unas ideas religiosas que lo llevan a asesinar.

—Es cierto que Jeremy me habló de la pasión y de que creía que el asesino era un hombre frenético... y tal vez estuviese hablando de sí mismo.

Hans movió la cabeza hacia adelante, como si ella acabara de decir algo muy importante.

—¡No me lo habías dicho! —exclamó él.

Cuando Julia iba a responderle que los sucesos se habían precipitado, que no pudieron analizar las cosas con tranquilidad porque había sido atacada y después pasó lo de Bloom, se vieron interrumpidos por unos ruidos. Eran sonidos de pasos que se aproximaban a la puerta desde afuera. Hans se levantó rápido y se dirigió hasta ella, la abrió y se encontró con el padre Lucien During.

—He venido a decirle algo importante. Soy emisario de Grace Tennant Beresford. Tal vez no sea tarde y todavía podamos evitar otras muertes.

4

El padre During nos confirmó todo lo que suponíamos. El general Winston Beresford comandaba una serie de crueles experimentos sobre niños. Eso lo hizo con el conocimiento de su esposa y con otros aliados locales, como Gordon Eames. Luego de experimentar con ellos, los dejó en el bosque al cuidado de Eames. Algunos de ellos no podían hablar y presentaban condiciones cognitivas especiales. Se hicieron como fantasmas, como seres invisibles para el pueblo. Katty Beresford supo de las actividades de su padre cuando era joven, y las mantuvo en secreto, pero más adelante veló porque a Emma Porter la dejaran ir de allí. No lo logró, pero sí consiguió que se mantuviera más cerca de casa y con mejor atención. Por eso Grace la conoció, de pequeña. Para ella era «Mary Jane». Así la llamaba. Luego, la misma Katty Beresford consideró necesario que Emma Porter dejara de transitar en el pueblo; la mujer se había constituido en un problema, no estaba respetando las normas en relación con los lugares por donde podía ir y llegaba con frecuencia a cruzarse con otras personas. Además, las reuniones de la Comunidad de Estudio

Extraterrestre se hacían cada vez más frecuentes y sus miembros comenzaron a tener mayor presencia en varias partes del parque. Entonces fue Grace quien descubrió la magnitud y gravedad de los experimentos que habían sido el secreto, la constante oscura en el pasado familiar. Y obligó a su madre a no hacerle nada a Mary Jane, porque si esta desaparecía, contaría a todos lo que la familia había hecho. Se hizo con las pruebas de la intervención médica y psicológica que los chicos habían sufrido. Cuando comenzaron los asesinatos, entró en pánico. Sabía que los decapitados eran las víctimas de su abuelo y, en parte, de su madre, por omisión. Toda su familia estaba implicada, pero según During, Grace era diferente (era la segunda persona que opinaba eso, ya que la primera que me lo dijo había sido Archer). Así que Grace se inquietó con lo que pasaba y se apoyó en During, como confidente. Lo que más le preocupaba era que uno de ellos estuviese detrás de las muertes. Y tenía sospechas sobre alguien en particular: su esposo.

En ese momento comprendí todo; aquello que había visto en su rostro el día que la conocí, el hecho de que hubiese ido tan nerviosa a hablar con During a la mañana siguiente, también el de haberle visto hablando con Emma Porter, alias Mary Jane. Supuse y no estuve errada, que Grace planeaba dejar a Ferguson. Eso nos dijo During que haría. Se iría de allí con sus hijos y dejaría atrás Green Bank, con todos los secretos familiares. Pero según el sacerdote, antes de irse quería contarlo todo.

Hans escuchó a During muy callado. No había nada nuevo bajo el sol. Todo lo dedujo, como me hizo saber después. Solo una cosa llamó su atención: ¿por qué Lucien During había dicho que se podía evitar otra muerte? ¿Y por qué Grace tenía sospechas de Robert Ferguson?

Según el padre, Grace sospechaba de su esposo porque

desde que comenzaron a cometerse los asesinatos él se mostraba eufórico y más cercano a Katty, su madre. Las sospechas de Grace no tenían fundamento, eran solo dudas que la atormentaban. Y también por una serie de cosas más que no podría decirnos porque faltaría al secreto de confesión.

Me extrañó, pero Hans no hizo ningún esfuerzo por sacarle más información a During. Sabía que en algún momento el asunto del secreto de la confesión saldría a relucir. Hizo una pregunta que consideré extraña en ese momento, aunque ahora comprenda por completo: ¿Grace cree que Robert sea un peligro para alguien? ¿Es que supone que habrá más muertes a pesar de que todos los chicos raptados por entonces ya han sido asesinados?

During no respondió.

Dijo que no tenía nada más que decirnos. Se despidió, y cuando llegó al umbral de la puerta, se detuvo, sin voltearse, y nos dijo algo más.

Recuerdo las palabras exactas:

—Deberían ir a casa de Jeremy Archer y de Nora Clement.

5

—¿QUÉ te ha parecido? —le pregunté cuando estábamos en el auto y nos dirigíamos a la casa de Jeremy Archer.

—¿Lo que ha dicho During? Me esperaba todo, menos que Grace creyera que su esposo es culpable, de alguna manera, de los asesinatos. Eso no me cuadra. Y todavía más que crea que «debemos ir a casa de Archer». Pareció que le costó decirlo, pero lo hizo porque lo considera necesario, porque no podía obviarlo, y sonó a urgencia —me respondió y comenzó la marcha en retroceso, con apuro.

En minutos tomamos la interestatal y nos desviamos para llegar lo más rápido posible a la casa de Archer.

—¿Qué crees? ¿Qué uno de ellos será la próxima víctima? —le pregunté.

—Creo que lo que ha pasado en esa casa es relevante para resolver el caso. Y sí, estoy seguro de que habrá otra víctima. El padre también lo cree. Él sabe más de lo que dice —respondió Hans.

—¿Y por qué no lo presionamos?

—Porque no era el momento. Además, no iba a decirnos

nada distinto a lo que ya había planeado, y nos hubiese sostenido que no podía traicionar a Grace. Si pudiera ver más claro el significado de esa fotografía… —dijo, dando un golpe al volante.

El sonido de los neumáticos al rozar la carretera se hizo más fuerte. Era ese sonido de piedras pequeñas que siempre me hace recordar a los ríos. Pero en ese momento me pareció amenazante, como si la velocidad de Hans con el auto fuese señal de que las cosas se habían precipitado, como si un desenlace en breve fuera imposible de evitar.

—¿Tú dirías que la mención de Grace que hizo Jeremy, cuando hablaste con él, era sincera? Quiero decir, ¿sinceramente siente admiración por Grace? —me preguntó.

—Creo que lo hizo para molestar a su novia.

—¿Viste algo fuera de lugar en esa casa? ¿Diferente a lo esperado?

—Como te dije, Nora Clement es de las mujeres que lo tienen todo bajo control. No me llamó la atención nada más allá de la vanidad de Archer y la máscara en la pared. —le respondí.

—¿Cuál máscara? —me preguntó Hans en voz más alta y llevando la mirada por un segundo a mi cara. Vi sus ojos muy abiertos.

—Una máscara tribal hecha de cordeles. Eso me pareció, pero no soy experta. ¿Por qué?

—¿Te parece que pertenecía a la casa, quiero decir, que estaba allí antes de rentarla o creerías que es de alguno de ellos? ¿Quizá percibiste como si esa máscara estuviera fuera de lugar? —preguntó Hans.

—No debía estar allí. La verdad es que desentona con el estilo de la sala.

Supe a lo que se refería con algo fuera de lugar, y la verdad es que no había pensado en esa máscara de nuevo, pero es cierto que en aquel momento me incomodó ver aquella careta, mirándome.

—Aquí hay un trasfondo ideológico o religioso, que es lo mismo. Desde el hecho de los asesinatos, la manera de cometerlos, el lugar, todo debe de tener una explicación para el asesino, y no cualquier explicación. Una total. Y no visceral, como podría achacársele a Laurie Bloom. Me pregunto cuál de esos cuatro personajes será capaz de ocultar una dimensión ideológica que justifique el asesinato como medio de denuncia de los Beresford.

—¿Tú crees que si estos asesinatos se hubiesen cometido en otro lugar ya tuviésemos más pistas? Es que aquí en este pueblo, tengo la sensación de que lo callan todo —le confieso a Hans.

—Así es la naturaleza humana y no solo los pueblos, lo que pasa es que en los poblados de pocos habitantes esta se hace más evidente; la gente frecuentemente calla ante extraños que investigan y fisgonean por motivos a veces ajenos a los actos criminales. Solo esconden sus propios secretos, y eso nos hace dar vueltas y vueltas en círculos sin avanzar en ninguna dirección, y para poder desentrañar los asesinatos, debemos primero comprender a cada uno de los «mentirosos» y despejar las acciones que nada tienen que ver con los crímenes. Por ejemplo, en el caso de Robert Ferguson, estoy seguro de que es un tipo que esconde cosas turbias; creo que es un hombre violento, capaz de chantajear, y no me extrañaría que su relación con Elliot Wilkinson tenga que ver con una red de extorsiones que han tejido, aunque sea de poca monta. Por eso se casó con una Beresford. Aunque Katty no le dejara la administración del dinero, sino a su hija, unido a Grace puede utilizar la posición de la familia a su favor. Tal vez hasta esté extorsionando a la misma Katty y a Stephen Millhauser. Supongamos que él se enteró de lo que hizo Winston, lo que nosotros sabemos y algunas cosas que no conocemos. Creo que Millhauser podría ser el negociador perfecto para un sujeto como Ferguson, para mantenerlo a raya, dándole migajas, pero manteniéndolo callado. Es posible. Y si fue un error de Grace haberlo metido en la familia, al parecer, ahora está dispuesta a enmendarlo, según nos ha contado During. Y si para eso tiene que culparlo de algo grave, aunque no esté segura de que sea culpable, lo hará.

Asentí.

—Pero debemos llegar rápido a esa bendita casa. ¡Si dijo que fuéramos, debe ser necesario!

Cruzamos hacia la carretera pequeña que conducía a casa de Archer. Los árboles que escoltaban el camino desprendían un fuerte aroma a corteza; me fijé que la tierra estaba mojada. Continuaba con esa sensación de inminencia, con el vértigo que se había metido en mi cabeza, como si tuviese que pensar más rápido para poder seguirle el ritmo a lo que estaba sucediendo.

Me había contagiado de la premura desesperada que veía en Hans Freeman.

6

CRUZAMOS el sendero gris que conducía a los tres escalones frente a la puerta de la casa donde vivían Nora Clement y Jeremy Archer.

Nuestros zapatos producían un ruido singular mientras caminábamos. Era por el barro, las pequeñas piedras y las hojas que cubrían el camino. No escuchábamos ningún ruido. Tuve la impresión de que iba a ver salir a Nora del mismo lugar de donde la había visto antes. Pero no lo hizo. El exterior de la casa estaba desolado. Noté que Hans se quedó mirando un objeto que colgaba de un rincón, no lejos de la puerta principal. Se trataba de un triángulo que parecía hecho de madera. ¿Sucede algo? Le pregunté en voz baja. «Nada», me respondió con el mismo tono que usé.

Tocamos a la puerta. Dos golpes. Luego yo di otro, pero lo hice con más fuerza y la puerta se abrió. Se movió unos centímetros haciendo un ruido lastimero. Me extrañó que Nora hubiese dejado la casa abierta, con lo previsiva que era y habiendo un asesino suelto. Aunque ellos tal vez creyeran que ya la asesina estaba apresada, o alguno de ellos era el asesino… Moví la cabeza de un lado a otro, tratando de deslastrarme de esa idea, no porque no fuera posible, sí lo era, y mucho, sino porque debía mantener la frialdad necesaria para pensar. Después de todo, según Hans, estábamos en casa de uno de los sospechosos de ser un asesino converso desde el principio, desde que leímos el informe que los perfiladores Keaton y MacLaine habían entregado.

—¿Jeremy Archer? ¿Nora Clement? —llamó Hans dando un paso. Yo también lo hice.

Estábamos adentro, y no oíamos nada. Miré hacia la pared, en frente, para ver la máscara y luego mostrársela a Hans. No estaba. La pared lucía blanca, desnuda, y la casa permanecía en silencio.

—La quitaron —dije en voz todavía más baja.

Hans asintió y pensé que lo esperaba. Continuamos avanzando, ahora callados. Ya sabía que no había nadie, a menos que estuviesen escondidos. ¿Pero para qué? No era necesario ocultarse, no teníamos nada contra ellos, ni siquiera sabíamos si eran los asesinos o las víctimas. La verdad era que no sabíamos nada; estábamos llenos de presunciones y sospechas, como si la neblina de desconfianza que atacaba Green Bank también nos hubiese infectado a nosotros. No teníamos ni una sola prueba de que alguien en ese lugar fuera culpable, y las únicas pruebas, si así podía llamarse haberla encontrado in fraganti, corrían contra Laurie Bloom portando un hacha y dispuesta a asesinar a un oficial de Policía.

Cuando llegamos al final del pasillo y miramos la sala, Hans lanzó una exclamación, una palabra que retumbó en mi cabeza. La mesa volteada, un líquido marrón en el suelo junto a la alfombrita que Nora dijo haber comprado en Venecia. La silla donde me había sentado yacía de lado, junto al libro de Ferguson. Quise tomarlo, recordé que no podíamos alterar las escenas con nuestras huellas. Me hinqué y lo vi de cerca. No parecía estar manchado esta vez. Hans caminó hasta la puerta que conducía al estudio de Jeremy. Estaba abierta la habitación. Él entró. Yo me quedé mirando la sala, intentando revivir lo que allí había pasado. Una pelea, sin duda. Pero ¿por qué el bendito libro de Robert Ferguson otra vez? Una obra que no decía nada de nada, que no podía ser peligrosa para nadie. ¿Por qué esa obsesión con ese tema o con la editorial Beresford?

Hans volvió y dijo que el estudio estaba en orden.

Entonces, cuando nos dirigíamos a la otra habitación, la vimos. Una mancha de sangre junto a la silla caída. Unas gotas brillantes y un rastro extendido, como si alguien sangrando se hubiese arrastrado, y luego había como unos trazos de pinceles más finos.

No podíamos avisar a nadie, estábamos en «la zona silenciosa».

7

Hans y Julia continuaron dentro de la cabaña de Jeremy Archer. Entraron a la habitación principal. La cama hecha, perfecta, impecable, de colores blanco y azul. Un cojín que mostraba un pez dibujado era su único habitante.

Julia tomó la delantera y salió a la escalera de entrada. Le pareció escuchar algo, como una voz de mujer.

—¿Lo oyes? —le preguntó a Hans que acababa de llegar a su lado, ya con la Glock en la mano.

Los dos esperaron a que el sonido volviera a producirse. Nada.

Rodearon la cabaña y las bicicletas no estaban. Tampoco había más rastros de sangre.

—¿Qué crees que pasó? —preguntó Julia.

—Un arrebato, y una salida intempestiva. Si, como dices, Nora Clement es como es, debe estar fuera de sus cabales. Me pregunto…

Paró de hablar. Otra vez la voz de mujer, y luego un llanto, y al final un grito de dolor.

—Ven —dijo Julia y tomó a Hans por el antebrazo un

segundo, luego lo soltó y le señaló hacia un lado de la cabaña, donde creía haber escuchado a la mujer.

Caminaron alertas, intentando cuidar que las pisadas no hicieran ruido. Llegaron hasta el lindero de la casa y lo cruzaron. Desde allí el bosque se abría a sus anchas, y había una ruta de bicicleta. Parecía haber sido utilizada hacía poco tiempo. Eso pensó Hans, quien comenzó a manejar al menos tres hipótesis sobre lo que pasó en esa cabaña. Era la influencia de una mente brillante, pero solo para eso, para manipular e incidir en los demás. Sobre todo, en Laurie Bloom. En ella, la capacidad de predisponerla del asesino había sido magistral. ¡Y ahora esto!, pensaba Hans en silencio.

El sendero de bicicleta conducía, en una bifurcación, a un lindero del río. Eso indicaba la señalización. Hans tomó una decisión y le pidió a Julia que llegara hasta el río. Sabía que el asesino no haría nada por ese camino porque era el más utilizado en la recomposición de las vías que habían hecho del parque. No iba a arriesgarse tanto. Además, él había solicitado el apoyo de agentes del FBI que pasaran desapercibidos, vestidos como excursionistas. También mandó a vigilar a los cuatro de la foto desde que se enteró de su existencia.

Él tomaría el otro camino, que conducía a la caseta abandonada donde habían encontrado el cuerpo de Leonard Bex. Una de las cosas que estuvo haciendo de madrugada en la cabaña fue aprendiendo las vías del parque, estudiándolo a profundidad porque tenía la convicción de que en algún momento, para resolver este caso, tendría que adentrarse en él, atravesarlo, ya que era el «área de juego» del homicida, y no quería contar con esa desventaja.

8

Hans caminaba con la Glock en la mano. Miraba a todos lados mientras cruzaba entre los árboles. Sabía exactamente dónde se encontraba. Había visto muchas veces la imagen satelital de Google en su portátil, y se sabía de memoria el mapa del parque George Washington y Jefferson.

Pero lo que encontró no lo esperaba. Otro cuerpo, parecía un hombre, más bien, un chico. A los pocos metros estaba la cabeza. Era el chico que había hablado con ellos apenas ayer. Se llamaba Kevin, el de la gorra de los Medias Rojas de Boston. No era posible. Ese maldito había matado de nuevo y esta vez a un niño. ¿Cómo iba justificar el asesinato?, se dijo Hans.

Respiró profundo, una vez, y sintió náuseas. Estaba acostumbrado a ver cadáveres, a la muerte más oscura que los hombres eran capaces de ocasionar, pero esta vez algo se agrietó dentro de su corazón. Recordó a Terence Goren, quien nunca lo abandonaba. Era como si el fantasma del pasado, ese Goren niño que probaba la crueldad cuando golpeaba, se hubiese quedado junto a él y ahora riera más que nunca. Como si se hubiese convertido en el compañero infalible de los asesinos que él con obsesión cazaba, y este fuera el mejor porque había asesinado a un chico que nada tenía que ver con los Beresford, ni con Winston, ni con nadie. Así que la justificación que al principio pensó, que era la limpieza del bosque de Green Bank, evolucionó a otra cosa; tal vez el asesino había conseguido un placer incomparable al asesinar.

Hans despejó varias lágrimas de sus mejillas. Otra vez, aquella imagen del chico que casi muere, de Ray, y sus propias palabras aquella tarde se repitieron en alguna parte de su ser: ¡Despierta, Ray! ¡Despierta! Pero esta vez no le gritaría a Kevin que despertara. Era absurdo y terrible a la vez ver esas dos partes del chico separadas, porque debían estar juntas, él debía estar en su bici, con la gorra de Boston, riendo y hablando. ¡No!, gritó Hans Freeman.

No podía dejar de mirar la cabeza, esta vez levantada y sostenida con cuatro troncos, dos a cada lado. Dos pedazos de ramas, más pequeñas, servían de sostén en los párpados del chico. Mostraba los ojos abiertos. Hans necesitaba mirar de cerca. Se aproximó lentamente, cuidando pisar lo menos posible la escena del crimen. Contó sus pasos hasta que tuvo la cabeza del chico a sus pies. Siete largos pasos. Luego se puso en cuclillas y pegó su mejilla izquierda a la tierra, justo frente a la cabeza de Kevin, y lo miró. El corte era limpio, una vez más. El asesino no había titubeado y había perfeccionado la técnica. Era experto en lo que hacía y, seguramente, era un fracaso en cualquier otra cosa que no fuera cortar cabezas de personas inocentes. Pero debía disfrazar muy bien sus fracasos. Debía brindar una apariencia de persona con una vida plena, exitosa. Creía que poseía una gran habilidad para influir en los demás.

Se levantó y fijó el lugar donde se había apoyado, poniendo un papel que tenía en el bolsillo. Luego se lo diría a los forenses. Una vez más el cuerpo se encontraba a pocos metros de distancia, tumbado hacia adelante, sobre un enorme charco de sangre. Hacía poco tiempo que había asesinado a este joven, se dijo Hans.

Recordó lo que él, Kevin, le dijo y se odió a sí mismo por no haber entendido en ese momento lo que había pasado. Él le dijo: «Quien hubiese estado, hubiese visto al asesino, ¿eh? Eso es lo que quiere decir, ¿verdad?». Hans comprendió que eso fue lo que había pasado. Él sí estuvo y había visto al asesino. Tal vez lo vio matar a Emma Porter, quizá lo espiaba desde hacía tiempo y debía saber cómo el homicida lograba que las víctimas no se resistieran, cuál era su forma de engañarlos, de seducirlos. Y ahora era él mismo quien cayó en la trampa. Quizá se había quedado mirando al asesinato como quien mira un mar embravecido, con el mismo morbo hipnótico, pensando que no iba a ser peligroso.

¡Era solo un chico!, gritaba Hans con furia y sentía que ese mismo mar embravecido estaba cayendo sobre él, derritiendo trozos de hielo que su trabajo había levantado dentro. Tantos cadáveres, tanta destrucción habían elevado barreras que le impedían llorar, pero ahora este chico, el cuerpo sin vida de un chico normal logró hacerle sentir de nuevo la rabia, el poder de la ira contra lo que no debía pasar, contra lo que él mismo le había hecho a Ray. Cerró los ojos y sintió la humedad, luego miró hacia arriba y vio las ramas de los árboles con sus crestas, moviéndose lentamente bajo el cielo gris cargado de nubes, y sintió algo de consuelo.

Tenía que pensar, tenía que entender. Creía que el asesino evolucionaba a un ritmo vertiginoso, y que se había convertido en un depredador, identificando enemigos a diestra y siniestra. Sus creencias se hacían cada vez más y más letales. Estuvo seguro de que, incluso, en relación con su cuerpo había riesgo. Podría lastimarse a propósito a sí mismo, si cree que con eso eleva su nivel y cumple su misión. Una idea inquietante le cruzó por la cabeza. Temió por Julia. Quizá el homicida ya no pudiese hacer una lectura real del riesgo de que lo vieran asesinando en la ruta del río; que ya no le importara y que estuviese entregado a una dimensión diferente, irreal y más peligrosa.

9

Fui por el sendero que acompañaba al río. Pero no encontré a nadie, hasta que escuché con mayor intensidad un sonido. Era el desplazamiento de una bicicleta, estaba segura. Pasaron a mi lado dos chicas en bici. Me pareció que disfrutaban del bosque y vivían en su propio mundo, donde los asesinatos que por la zona se cometían no les interesaban ni les afectaban.

Comprendí que para el asesino cualquier persona no era una víctima potencial, y que era cierto que se regía por reglas; no mataba a diestra y siniestra, y hasta ahora solo había asesinado a los chicos de los experimentos. Pensé eso mientras veía a las chicas pedalear, con fuerza y vitalidad.

Una vestía con colores muy vivos, verde manzana y violeta. La otra vestía de negro y blanco. La primera llevaba el mando, se desplazaba más adelante con actitud serena, como si estuviera disfrutando. La segunda se esforzaba, parecía querer demostrar algo a su compañera o tal vez a ella misma. Era como un contraste… Eso eran Nora Clement y Jeremy Archer, dos seres contrastantes; ella, apasionada y celosa; él, frío y vanidoso; ella iba por él, y él iba por su propio camino. ¿Cuál había sido el motivo de aquella pelea en la cabaña? ¿Había sido solo un desencuentro, como pensaba Hans, o algo más? No parecía el escenario de un crimen como los que cometía este sujeto, porque la cantidad de sangre era menor, además de que el asesino debía matar en el bosque, o al menos eso creíamos. ¿Sería el desagradable Archer un maltratador?, me pregunté sin dejar de caminar.

Salí de mis cavilaciones cuando la vi. Sentada en un tronco, con la bicicleta tumbada a un lado. Era Nora Clement, mirando su mano ensangrentada.

—¿Qué estás haciendo aquí? —le pregunté.

—Nada. Pensando —respondió.

—¿Qué te ha pasado en la mano? —insistí.

—Me he herido en la cocina —dijo y levantó la mano que tenía una venda manchada de sangre; y lo hacía como si estuviese elevando un trofeo.

—¿Qué ha pasado en tu casa?

Nora se supo descubierta porque debió venir a su mente la escena en la sala de la cabaña, el desorden, y comprendió que yo había estado allá y que por eso se lo preguntaba.

—Todo me pasó allí… en esa cabaña absurda. Agarré el paraguas y golpeé todo a mi paso. Me sentía como un animal venenoso. Y después el vidrio roto y mi mano herida, pero sin dolor. —Aspiró profundo y continuó—. Si lo dices por lo que viste en la sala, es que tuvimos una discusión Jeremy y yo. Estábamos hablando y él no me prestaba atención, y yo no pude más. Le lancé un libro, el estúpido libro que le regaló Grace. A veces las cosas pequeñas son las más importantes. Supe entonces que ella lo había visto, porque ese libro no estaba antes allí y yo lo había escuchado decir que ella le daría un ejemplar. Se habían encontrado. Tal vez usted no sepa lo que es querer así…

Recordé el ataque de Frank y sentí ardor en la boca del estómago, como un dolor que se quedó entre las costillas. Otra vez aquel golpe contra la pared volvía a mi cabeza, y el estremecimiento, y la sangre tibia. Fue un recuerdo fugaz pero hiriente. Supe que Nora estaba atravesando una crisis, por la entonación de su voz. Yo tuve que tratar con personas violentas, bajo efecto de ciertas drogas, y también había estudiado psicología, y por eso me fue fácil reconocer su estado. No me extrañaría que ahora riera de manera estridente, exagerada. Tenía que comprender lo que pasaba por su cabeza, sin que se sintiera amenazada. Pero nunca me había encontrado sola en medio de un bosque con una mujer que podía resultar peligrosa. Nora Clement podía ser la asesina. Siempre pensé en esa posibilidad.

Ella soltó un grito.

—Ya no puedo más. Ha sido él. Pero hay que ayudarlo. Han sido esos libros, esas entrevistas con gente tan complicada. Le han ido lavando el cerebro. He intentado que mantenga la cordura, pero es horrible lo que piensa, como si fuera otra persona. Ya no es él.

—¿De qué estas hablando, Nora? —pregunté acercándome, aprovechando que consideré que por ahora no sería un peligro para mí. Me senté junto a ella, con precaución.

—De Jeremy. Jeremy es quien ha estado asesinando a esos hombres aquí en el bosque. Yo quería pensar que era Laurie Bloom, y me alegré mucho cuando la detuvieron. Supuse que no tenía coartadas, porque había estado con ella, con Grace, las noches de los asesinatos. Me dije que ya todo estaba resuelto, pero no fue así. ¡No fue así! Y leer todo eso, lo que escribe. Es horrible cómo justifica sus actos. Cuando lo conocí era un hombre tan diferente. Este condenado pueblo lo cambió. Esto es como un abismo, como la perdición…

—Nora, ¿estás segura de lo que dices? —le pregunté, presa de asombro

—Sí. Jeremy es el asesino. Allí en mi bicicleta está la prueba.

10

Una de las ciclistas que Julia había visto se le acercó a Hans en cuanto lo vio. Era un agente del FBI. Hans había ordenado la vigilancia de la zona y el registro de los movimientos de los sospechosos. No quería que esto recayera sobre la Policía local. Había que cuidarse de la infiltración de los Beresford, que él consideraba tan peligrosa como el veneno de un animal ponzoñoso de varias cabezas. Por esa razón le había pedido a Julia que continuara el camino hacia el río, porque sabía que allí estaría vigilada, que no correría peligro.

—La agente Allen se ha quedado con Julia Stein, quien se encontró con Nora Clement.

—Agente Moss, se ha cometido otro asesinato en el bosque. Hay que acordonar el área. Detrás de esos árboles está el cuerpo separado de la cabeza. Se trata de un chico del pueblo. Ayer hablé con él. Esta vez el asesino ha matado a una persona conocida. Lo ha hecho porque no tenía otra salida. Creo que el chico lo vio y, lamentablemente, pensó que eso no era un peligro.

—Está bien, agente Freeman. Iré a la salida de «la zona

silenciosa», por el cortafuegos es más rápido. Llamaré a Hudson.

—Y a Liv Cornell. Que se encarguen. Dile a Hudson que envíe al equipo forense. ¿Han mantenido la vigilancia a Grace y a Robert Ferguson? ¿Tienes el reporte?

—Sí. Ella no ha salido de casa y él ha pasado horas en el club. Los chicos los han vigilado desde que lo ordenó. Lo mismo a Jeremy Archer y Nora Clement. No salieron en toda la noche.

—A menos que esa casa tenga una salida que no conocemos —dijo Hans.

Andrea Moss abrió los ojos y lo miró, inclinando la cabeza hacia el lado izquierdo.

—He pensado en eso. Una salida a través de un sótano, por ejemplo, que conduzca al bosque directamente. En el caso de la casa de Grace es diferente, está muy lejos de aquí, pero la de Archer sí arroja una posibilidad cierta... —dijo Hans mirando hacia adelante.

Hans creía que a Kevin lo habían asesinado en la noche, aunque tendría que esperar el informe forense. No le gustaba la idea de tener que renunciar a la suposición de que uno de ellos era el asesino, aunque sabía que una posibilidad era que la imagen dejada por Eames fuese un truco para confundirle. Pero lo dudaba. El expolicía sabía que estaban intentando cazar al asesino y que para eso él estaba en Green Bank. El significado de aquella foto tenía que estar relacionado con eso.

Por un segundo, vio que unos pájaros llegaron a picotear la corteza de un árbol enorme que estaba cerca. Uno de ellos era diferente, de plumaje claro. Pensó en Laurie Bloom durante un instante. Ella no se parecía a Green Bank, en general. Allí todos parecían estar hipnotizados, como atrapados en una sensación de felicidad fantástica, de plenitud ficticia. Como si los Beresford manejaran la totalidad de sus vidas, y no estuviesen interesados en los conflictos. Fue cuando se le ocurrió algo que no había pensado antes; que estaban manteniendo el control del pueblo con una fórmula farmacológica. ¿Era posible? Y por ello habían escogido Green Bank, porque la comunicación con la gente del exterior era inferior, para empezar, no se utilizaban celulares ni wifi. ¿Alguno de ellos habrá seguido los experimentos de Winston Beresford? ¿Y si era así porque a Laurie Bloom la habían dejado fuera de la «paz farmacológica»? Solo para tener un chivo expiatorio, para poder culparla de aquello que no fuesen capaces de controlar. Se dijo que no era momento de seguir pensando en aquello, ya que la prioridad era atrapar al asesino. Los Beresford eran una amenaza —estaba seguro—, pero tendría que esperar para desenmascararlos.

—Moss, busca a los chicos. Yo me quedaré por aquí. Tengo la sensación de que el asesino está cerca todavía y de que es uno de ellos, y de alguna forma burló la vigilancia. Luego me juntaré con Julia... ¿Dices que Allen está con ella? —preguntó Hans, no pudiendo acallar por completo cierta preocupación.

Tenía motivos para ello porque Karin Allen ya, para ese momento, yacía inconsciente sobre un charco de sangre.

11

—¿Qué es lo que hay en la bicicleta? —le pregunté a Nora.

—Míralo tú misma —respondió ella con una voz que parecía encerrada en un trozo de hielo.

Me levanté y caminé hasta donde estaba el vehículo, junto a un cedro paliducho, sin hojas. Había un sobre marrón, con unos papeles adentro. Eran escritos de Jeremy. Miré las fechas, las ponía arriba a la derecha. Parecía un diario, uno de reflexiones, con un estilo filosófico. Leí las palabras «muerte», «vida», «enviado». Comenzaba con las siguientes frases: «El origen lo explica todo para mí. Siempre supe que era un elegido, y los elegidos no pueden equivocarse. Cuando lo olvido, cometo una grave falta. Debo cuidarme incluso de mí mismo».

Continué leyendo, aunque de vez en cuando levantaba la mirada para ver a Nora. Era cierto que Jeremy confesaba ser el asesino en aquellas líneas. Y lo hacía de una manera retorcida, tal como lo previó Hans. El pulso se me aceleró y escuchaba los latidos del corazón. Me estremecí. Un hilo de corriente atravesó la palma de mis manos. Como corrientazos fríos que llegaban hasta los codos, hasta el pecho. Sentí presión sobre las sienes y los oídos, como la que se siente en los aviones. Recordé la cara de Jeremy mientras me hablaba, tan lleno de amor propio… y no sospeché mientras le oía que esa soberbia que destilaba iba a ser su perdición, su mayor error. En parte lo había sido, porque creerse el salvador de Green Bank, suponer que del futuro le emitían señales para que obrara de una manera determinada lo convirtió en un asesino. No sé por qué volví a ver en mi cabeza la cara de Gail Whitman, sonriente, la de la fotografía que Hans llevaba consigo durante aquel vuelo donde lo vi por primera vez. Quizá fue por eso, por la presión que sentía sobre mis sienes como si estuviese en pleno vuelo, que recordé la escena cuando conocí a Hans.

Nora parecía una escultura de piedra, junto al río. Inmóvil, sin vida, como si se hubiese paralizado. Tenía las rodillas flexionadas y los brazos sobre ellas, la cabeza apoyada. Pensé que esa posición de descanso la había adoptado desde niña, cuando algo no salía como lo planeaba. Lo que me molestaba era que Nora parecía saber desde hacía tiempo que Jeremy era el asesino y no se lo había contado a nadie. No le importaba que lo fuera. Solo le importó cuando se sintió desplazada por Grace. Nora era una mujer celosa y vengativa. Solo por eso ahora estaba dispuesta a revelar el secreto de Jeremy al FBI. Y también por eso estaba petrificada, porque si lo destruía a él, también se destruía ella.

Tenía que buscar a Hans, pues debíamos detener a Jeremy Archer, el asesino de Green Bank que, efectivamente, mataba por razones religiosas y místicas. Pero me extrañaba que no contara en aquellos escritos cómo había asesinado a sus víctimas y quiénes eran. Como si no lo supiera o no lo recordara. ¿Sería cierto que padecía lagunas? ¿Tendrían los Beresford que ver con eso? Lo preguntaba porque si a Laurie

Bloom le habían administrado —sin que ella lo supiera— sustancias para que perdiera la razón y fomentar su furia paranoica, y esa Caroline seguía órdenes de Katty Beresford —lo cual, me temía, sería difícil probar— con ese objetivo, entonces también podía ser que estuviesen administrándole algo a Jeremy...

No podía pensar con claridad en ese momento. Era como si no pudiera separar a los asesinatos de los Beresford, como si ellos tuviesen que ver con todo lo que pasaba en Green Bank. Lo cierto era que Jeremy Archer era un criminal peligroso y había que detenerlo.

Volví a guardar los papeles en el sobre, pero preferí llevarlos en la mano. Fui a buscar a Nora para pedirle que nos dirigiéramos a la carretera. Me di cuenta de que estaba lanzando piedritas al río y miraba las ondas en el agua. Comenzó a reírse en voz muy alta. Se produjo un temblor en mis piernas que terminó en un calambre en el estómago. Sentí lástima por ella. Era como si una terrible maldición la hubiese alcanzado, como si estuviese resignada a deambular por la vida sin Jeremy, y ya eso no fuese vivir realmente. Me pareció una niña, desolada, triste. Una niña que quedó como producto de la involución de la mujer que yo había conocido hacía apenas cinco días, y que ya no volvería a aparecer.

12

HANS SE QUEDÓ SOLO cuando Moss se fue, y comenzó a andar en dirección a donde se había separado de Julia. No podía quitarse de la cabeza la imagen de Kevin con vida y luego de Kevin decapitado. Como un claroscuro que centellaba en medio de su cerebro y que le dolía porque le recordaba a Ray. Pensó que el asesino estaba cometiendo errores por estar improvisando. Si una escena del crimen podría arrojar algo era la de Kevin. Para Hans, el perfil del homicida estaba finalizado; era un hombre con delirio de grandeza que intentaba planearlo todo con antelación, pero que, obligado a improvisar, era muy probable que fallara de una manera determinante. La imagen del cuello de Julia se abalanzó sobre él. Se detuvo y pensó más en ello. Cuando las imágenes se aparecían en su cabeza era por algo bueno, porque iba a empezar a comprender. Como si sus células grises hubiesen podido armar un rompecabezas y ya estuvieran dispuestas a mostrárselas.

—¡Eres infantil! Y lo del cuello de Julia fue tu firma inmadura. Querías que supiéramos que fuiste tú quien la atacó, porque tú cortas las cabezas, porque eres el sujeto que decapita en Green Bank, solo tú, y no querías que quedara ninguna duda sobre la autoría. Es tu firma cándida…

Pensó que iba a poder atraparlo, precisamente, porque iba a cometer un error infantil, porque el asesino necesitaba pensar de manera obsesiva para tener el control y esperaba que la muerte de Kevin, que no había sido planificada, le hubiese dejado un sabor amargo en la boca, lo hubiese descontrolado. Como una espiral desesperante para él, que hubiese comenzado a atraparlo; una equivocación traería otras, como una herida pequeña pero profunda.

Continuó caminando, aligerando el paso. Entonces escuchó unos pasos y por reflejo llevó su mano al arma. Volteó y esperó. El hombre se acercó a él. Era Jeremy Archer.

—¿Qué hace usted aquí? ¿Es el agente del FBI encargado del caso? Pensé que se había ido, que ya tenían a la asesina —dijo visiblemente molesto.

—Soy Hans Freeman. Aún no la tenemos —respondió el agente, retador.

Había visto a Jeremy Archer en fotos y sabía su biografía. Incluso leyó algunos artículos científicos que Archer había publicado en revistas. También leyó el reporte de los investigadores y había pensado con detenimiento lo que Julia le dijo sobre su entrevista con Archer, pero era la primera vez que estaban frente a frente.

—¿No es Laurie Bloom la persona que buscan? —preguntó con una entonación que a Hans le pareció cargada de terror.

—No —respondió cortante.

Jeremy Archer estaba asustado y Hans lo notó de inmediato. Comenzó a iluminarse una nueva tesis en su cabeza sobre los asesinatos.

—¿Qué ha sucedido en su casa? —preguntó Hans.

—Una discusión sin importancia —respondió Jeremy con rabia y sin disimulo.

—Debería irse de aquí. Hubo otro asesinato. Debe bajar a la carretera. Lo mismo su novia. ¿Sabe dónde está? —preguntó Hans con urgencia.

—¿Otro asesinato? Es imposible…

Hans iba confirmando la nueva explicación que comenzó a surgir dentro de él. ¿Estaba en verdad alarmado? Lo parecía, y si era cierto tal sobresalto, no podría ser el asesino, pero sí sabía quién lo era, porque las palabras que acababa de pronunciar eran muy sugestivas: era imposible otro asesinato. Y lo era porque Jeremy sabía la razón por la cual el asesino mató a los chicos raptados tiempo atrás y no podía concebir la idea de que el asesino hubiese vuelto a matar.

—Es interesante la palabra que ha utilizado. ¿Por qué es imposible que se haya cometido otro asesinato? ¿Ni siquiera le interesa saber quién ha sido esta vez?

—Claro que me interesa, pero no debe ser el mismo asesino. ¿Usted está seguro…?

—Han decapitado a un chico del pueblo. Se llamaba Kevin —le dijo Hans.

—¿Kevin? ¿El chico de la gasolinera, del taller? Pero no es posible.

—Necesito que me aclare la razón que posee para espantarse de esa manera, para no creer lo que le digo. Creo que usted sabe más de lo que le ha dicho a mi compañera, Julia Stein, y, antes, a los agentes.

—Yo no sé nada —respondió Jeremy con voz temblorosa.

—¿Alguien le ha hablado sobre Kevin recientemente? —le preguntó sin perder detalles de la expresión de su rostro.

—¿Hablarme sobre Kevin? Lo que le hayan dicho no es cierto. Solo hablábamos de los chicos en general, que son entrometidos, porque es verdad, así que no era sobre él en particular —dijo Jeremy, alejándose de Hans.

Archer caminaba hacia atrás, de espaldas, como dispuesto a salir corriendo. No quería continuar allí porque sabía que podía equivocarse. Recordó lo sucedido meses atrás y se vio escribiendo las notas, y luego dándose cuenta de que pasaba horas sin saber qué había estado haciendo. Las lecturas, los libros, las palabras en las entrevistas a los miembros de la Comunidad, y el estudio de la cabaña que Nora acomodaba cada mañana, aquella habitación que parecía caer sobre él, dando vueltas y llevándolo a un abismo, a un agujero de gusano como los que llenaban las ideas de la Comunidad. Y el reflejo de la ventana sobre él que le llevaba su imagen distorsionada, y la mancha circular del vidrio empañado junto a la rejilla azul del marco de la ventana. Él sabía quién era el asesino; lo había sabido aquella madrugada, mirando por esa ventana, pero no podía decirlo. Jeremy pensaba que estaba atrapado y tenía que escapar.

Pero Hans le había puesto una trampa y él cayó en ella. Sabía que el asesino le había hablado a Jeremy de Kevin en alguna parte, que cometió un error llevado por la imprudencia, tal vez en alguna de las reuniones, incluso en el mismo concierto donde hallaron la cabeza de Emma Porter, y que era posible que alguien los hubiese escuchado. El asesino estaba cerca de Jeremy... Recordó la fotografía que le dejó Eames una vez más. En ella se veía al asesino de Green Bank, pero no en primer plano, alguien del que nadie sospecharía, ni siquiera de que fuera capaz de matar a una mosca. Alguien del cual no podía reparar porque no se veía su imagen claramente en la fotografía.

13

JULIA NO SABÍA que el asesino la estaba observando y que se había ido cargando de furia en las últimas horas. Después de asesinar a Kevin, porque lo vio con Emma Porter, había perdido el equilibrio que necesitaba para continuar aparentando ser inofensivo. Todo se había desplomado sin remedio y era culpa de ellos, del FBI. Pensaba que debían haber creído lo de Laurie Bloom porque, de todas formas, ella era una mujer insoportable. Y que ahora deberían creer lo de Jeremy porque había puesto mucho interés en que escribiera los relatos de esa manera y en que tomase las pastillas para generarle confusión. Necesitaba poder culpar a alguien si las cosas se salían de control.

Le había comentado Jeremy que Kevin solía fisgonear, y que siempre estaba espiando. Y resultó ser verdad. Se atrevió a intentar sacarle provecho a lo que había visto. Pero era imposible que alguien pudiese intentar chantajearlo a él, porque eso podía comprometer toda la misión. ¡Estúpido atrevido! Había dicho después que salió volando la cabeza de Kevin y el cuerpo se desplomó. Era un chico hiperactivo, y por ello tuvo que drogarle para que sus músculos se paralizaran. Así que esa vez la víctima sí había visto la cara de su verdugo, y con espanto supo que sería su fin. Ahora el asesino había evolucionado a otro nivel; no le importaba no tomar a las víctimas desprevenidas, se había envilecido porque le resultó placentero aquello que vio en los ojos de Kevin, ese pavor, la exagerada turbación en su mirada, le resultó sanador. Con la agente, camuflada de ciclista despreocupada, había sido distinto y, tenía que reconocer, sin clase. Solo un golpe seco en la cabeza y verla caer de inmediato. Ella tampoco vio su cara cuando lo hizo. Pero se había acercado demasiado a la verdad, en el bosque.

Ahora tenía que continuar aparentando, frente a Julia, quien se acababa de separar de Nora. Más bien fue Nora quien se separó de ella, gritando y corriendo como loca.

Con sigilo, caminó hasta que estuvo detrás de Julia. No tan cerca. Pero entonces ella volteó, tal vez porque escuchó algo.

—¿Qué hace aquí? —le increpó Julia con desconcierto, pero a la vez con alivio porque lo que más temía era encontrarse con Jeremy Archer.

14

Cuando Nora Clement y yo llegamos al cortafuegos, ella se detuvo con brusquedad.

—¡No puedo hacerlo. No quiero delatarlo! —gritó.

Dejó caer la bicicleta y salió corriendo bosque adentro. La llamé varias veces, pero Nora no se detuvo y se perdió de vista.

Pensé que lo más importante era llegar a la carretera y encontrar a Hans para contarle lo de Archer, y por eso no podía seguirla. Además, ella conocía más la zona, aunque yo fuese más rápida.

Escuché unos pasos detrás de mí. Me imaginé atacada por Jeremy Archer, pero al voltear me di cuenta de que no era él. Con algo de alivio, le pregunté qué hacía allí.

—Iba a preguntarle lo mismo. ¿No le parece peligroso el bosque aún? Creo que hubo otro asesinato, tal vez dos más —me respondió.

—¿Por qué lo dice? —pregunté, todavía pensando en Jeremy.

—Por eso llevo este trozo de madera conmigo. Por prevención —me respondió.

Miré el objeto. Mis ojos alertaron un extremo ennegrecido de la madera. Parecía sangre fresca…

No podía dejar que se diera cuenta de mi asombro, ni siquiera un leve brillo de sospecha podía aparecer en mi rostro, pero aquello era sangre, estaba segura. En ese mismo instante, también advertí algo aterrador: el olor que él desprendía era el mismo que había percibido cuando desperté, aturdida, luego del ataque. Era dulce, como de fruta, como de bosque. ¿Por qué no lo había notado antes? Era como dijo Archer; la mente se acuerda de cosas sin que uno se dé cuenta. En esos segundos sentí que me encontraba en un eminente peligro, sin embargo, le hablé con serenidad.

—Está muy bien que lo haga. Ahora debería encontrarme con Hans, que quedó en buscarme aquí —mentí.

—Pues lo he visto lejos de este lugar —me respondió él, sonriendo y sin soltar el trozo de madera.

Ya no tenía dudas de que destilaba sangre, pero tenía que aparentar tranquilidad, como si no lo hubiese notado.

—¿Ha visto a Nora? —le pregunté porque necesitaba saber si estaba bien. Se me ocurrió que podía haberla atacado y que esa sangre quizá le pertenecía.

—La buena y organizadora Nora. No la he visto. ¿Está en el bosque? —preguntó y por primera vez lo vi preocupado. Parecía importarle Nora Clement.

—Muy cerca de aquí. Estaba conmigo hace minutos —le respondí.

El asesino se acercó y tuve que decidir entre correr o hacerme la que aún no comprendía el peligro. Resolví lo segundo. Sin embargo, calculaba la manera de esquivar un golpe. Las preguntas se precipitaban en mi cabeza: ¿todo se estaría haciendo entre los dos? Porque yo misma leí lo que

Jeremy había escrito, y en esos papeles Jeremy confesaba ser el asesino. Tal vez era un juego de maestro y aprendiz, y eran aliados. O tal vez aquello no era sangre de nadie, sino de un animal. Quizá había utilizado esa madera para defenderse de algún animal en el bosque. Quería creer eso porque no quería estar sola con un asesino, otra vez. Me arriesgué a decir algo.

—Nora Clement cree que el culpable de las muertes del bosque es Jeremy Archer. Me ha mostrado unos escritos...

—Pobre Nora. Debe estar muy confundida. Yo también lo sabía, que era Jeremy. Como sabes, somos amigos, y lo he visto cambiar últimamente, transformarse en otra persona, con ese ensimismamiento tan siniestro. Al principio creí que era por los estudios en la Comunidad, pero resultó que no era así. Se ha tomado en serio las creencias y supone que hay alguien dejándole señales desde algún agujero de gusano y que ellas le indicaban que tenía que acabar con algunas vidas. Ya usted sabe quiénes son las víctimas y lo que hicieron con ellas, y Jeremy cree que debía arreglar las cosas, asesinándolos para limpiar este bosque sagrado y eliminar la influencia de los Beresford, porque esa Fundación está maldita, y lo que muestran es solo una mampara de sus objetivos ocultos, ya que pretenden seguir haciendo experimentos con los habitantes de Green Bank. No me caben dudas.

Lo comprendí. Solo el asesino podía decir eso de «ya yo sabía quiénes eran las víctimas», porque era él quién me dejó los expedientes psiquiátricos y me había atacado. La identidad de los decapitados aún no era de dominio público. Se estaba equivocando por hablar de más. Se estaba descontrolando...

—¿A quién ha asesinado Jeremy ahora? ¿Por qué usted no ha dicho eso antes? —pregunté.

—Al chico del taller. Pobre jovencito, si no hubiese visto lo que vio... —dijo con palabras que parecían sinceras.

¿Cómo sabía que había visto algo? Recordé las palabras

de Kevin cuando lo encontramos no lejos de allí. Comprendí que nos había mentido. Cada vez estaba más convencida de que estaba frente al asesino de Green Bank, pero no podía dejar que él lo notara.

Mi vida dependía de que fuera capaz de engañar a Lucien During.

15

—¿Desde cuándo sabe usted que Lucien During es el asesino? —preguntó Hans, sin rodeos, para comprobar la hipótesis que había tomado forma en su cabeza.

Jeremy Archer sonrió con sarcasmo.

—Desde hace meses —respondió moviendo los hombros hacia abajo.

—¿Por qué no dijo nada? —preguntó Hans subiendo un poco más el volumen de la voz.

—Porque es un privilegio poder estudiar su mente y no quería…

—No quería tener que dejar de hacerlo, aunque eso significara salvar la vida de varias personas. Ya —dijo Hans atropellando las palabras, luego hizo una pausa y después continuó—. ¿Su amigo sabe que usted lo sabe?

—Puede que lo sospeche, pero debe creer que no diré nada —dijo Archer.

—¿Cómo llegó a enterarse?

—Pues desde chicos hemos mantenido el contacto, y en lo que podríamos llamar la última etapa de su vida, comencé a ver, uno a uno, todos los aspectos que hay en una conversión religiosa crítica, sobre todo esa obsesión por relacionar cada cosa con una «misión». Decidí venir a este lugar para estar cerca de él. Era oro en polvo para mí, y lo seguí en el bosque. Lo he visto en las celebraciones que lleva a cabo, en un área como a media hora andando de aquí; se ha convencido de que está acompañado de otras personas, pero realmente está solo, en su lugar pone unas piedras planas y los ve salir de ellas, como hologramas. Ha construido un reloj, pero eso es otra cosa… No lo he visto asesinar a nadie, pero he escuchado lo que dice para poder comprenderle mejor, y está convencido de que habla con personas que han sido decapitadas, y les explica que los ha liberado. Y de verdad lo cree, agente… —dijo Jeremy en un intento de justificarse—. Pero puede preguntarle usted mismo por qué hace lo que hace, y supongo que, aunque sea por curiosidad, lo hará una vez que lo agarre. Lo he visto dirigiéndose al río…

—¿Cuándo? —preguntó Hans con voz de alarma.

—Ahora mismo.

—Vaya a la carretera y llame a la Policía. A Liv Cornell. Dígale todo lo que me ha contado. Y que venga al bosque con un contingente de hombres. Luego vaya a casa y cierre las puertas.

—¡Que Lucien no es un hombre peligroso! A nosotros no nos hará daño. Para hacerlo, debe tener un sentido para él, una explicación que totalice…

—Guárdese las argumentaciones académicas, Archer. No entiende nada. During ha asesinado a un chico, anoche. Ha evolucionado y creo que eso significa que ahora encontrará justificaciones sin ningún esfuerzo para continuar matando. El problema de ver señales es que estas cada vez pueden ser más y más, pueden ser infinitas. ¡Vaya rápido!

Hans salió corriendo, pero de pronto se detuvo.

—¿Dónde queda ese lugar en el que ha visto a During? —le preguntó a Jeremy.

—Continúa por este sendero hasta que se acaba y luego cruza a la derecha, a las tres del reloj, allí no parece haber forma de cruzar entre los árboles, pero sí la hay. Es una de las características de su personalidad; se cree sumamente listo…

Hans continuó corriendo en dirección a la intersección, donde el sendero se abre hasta le vera del río, el mismo lugar donde se despidió de Julia. Si no la encontraba allí, se devolvería para ir a donde le había dicho el inconsciente y desacertado de Jeremy Archer. Pensaba que During era no solo un hombre sumamente peligroso, sino también letal. Los había engañado a todos, a los perfiladores, a él mismo. Sintió rabia por no haber sabido relacionar el perfil del asesino con el padre Lucien During, y lo recordó cuando les habló de Grace, tan convencido, tan afable y sensible. También recordó haber perdido el tiempo vigilando a los que estaban en primera fila en la foto de Eames, pero no haber caído en el hombre espigado, de atrás; ni siquiera sospechó que podría ser el padre. ¡He sido un idiota!, repetía una y otra vez en su cabeza.

Aunque sabía que no había sospechado del sacerdote porque las víctimas eran desconocidas, y eso significaba un enorme problema para él. Desde el principio había trabajado sin luz y sin dirección, y con mayor incertidumbre que en la mayoría de los casos, hasta que dieron con la identidad de Leonard Bex, a pesar de los intentos de los Beresford por involucrar primero al Loco Tom, y después a Laurie Bloom buscando que tuviese una crisis, para lo cual habían comprado a la única chica que parecía su amiga. Los Beresford lo complicaron todo porque eran una sombra sobre Green Bank… una sombra silenciosa que arropaba la maldita zona silenciosa, desde donde no podía avisar a Liv Cornell nada de lo que ahora sabía, ni llamar a Julia para prevenirla...

Llegó junto al río. No había rastros de Julia ni de Lucien During, ni de la agente Allen. Solo las hojas sobre la tierra, el olor a pino. Recorrió un buen trecho y no vio a nadie. Escuchaba su corazón acelerado en primer plano, y detrás el ruido del agua. Se decidió a llamar a Julia porque eso podría salvarla, si Lucien se sentía inseguro al oírlo.

—¡Julia! —gritó lo más fuerte que pudo.

Luego otra vez, y otra.

Si lo oían y estaban juntos, al menos During sabría que ella no estaba sola y eso podía hacer que desistiera si pensaba atacarla. Además, él no podía saber que ya conocía su culpabilidad. Tal vez ni siquiera se había encontrado con Julia, y estaba en la parroquia o en cualquier otra parte, pensó Hans para calmarse. Pero en el fondo, sabía la verdad. Sabía que lo más probable era que Julia hubiese visto a During y que, por alguna razón, lo hubiese descubierto. Porque si no ya la hubiese encontrado. Además no estaba la agente Allen, y eso significaba que podría estar muerta.

Si Hans hubiese mirado un poco más lejos del río, saliéndose del sendero, hubiese visto tendido el cuerpo sin vida de Karin Allen.

Esperaba que Julia estuviese bien. Cuando pensó lo peor, se aferró a la idea de que ella tratase al asesino de manera inteligente.

—Tienes que distraerlo, Julia… haz que te cuente mentiras; es un mentiroso enamorado de su propia grandeza —dijo en voz apenas audible, con palabras entrecortadas, sin dejar de correr.

Tampoco podía dejar de pensar mientras corría lo más rápido que sus piernas le permitían. Pensaba en que Lucien During había planificado los asesinatos de una forma casi perfecta, que era un hombre que disfrutaba sugestionando a la gente y, sobre todo, mostrándose superior en lo moral. Para ello de seguro se hizo sacerdote y le había gustado ir a Green Bank, porque este era un poblado de pocos habitantes, fácil de manejar, de medir y controlar. Estaba convencido de que tenía obsesión por el control. Pero lo que no consideró fue que ni siquiera en un pueblo chico se puede controlar todo, y no pudo influenciar la mente del niño, de Kevin, que terminó por descubrirlo. Y eso significó Kevin, un imprevisto, la precipitación, el abismo. La pieza pequeña que lo destruyó todo, tal como él le había dicho a Gordon Eames.

Esas ideas vertiginosas aparecían en la cabeza de Hans al mismo tiempo que corría, hasta que llegó al sendero por el cual había pasado minutos antes junto a Julia Stein.

En ese momento desenfundó el arma.

16

ALGO ME DECÍA que era él, porque, sino, cómo iba a saber que Kevin vio algo. No había nadie más cuando los chicos nos hablaron, solo Hans y yo. Así que lo supo porque el mismo Kevin debió habérselo dicho. Además, Hans me había hablado del perfil del asesino y Hans es el mejor haciendo perfiles; pensando cómo piensan ellos. Y todo encajaba en Lucien During, aunque nunca me fijé en él. Pero yo tenía que seguirle la corriente y, sobre todo, no volver a mirar la mancha de sangre en el madero.

—¿Has visto a Jeremy cometiendo los asesinatos? —le pregunté, tragándome mi miedo.

—No. Pero lo he visto en un lugar, en el bosque, a donde llevó el cuerpo de la mujer que decapitó. Allí se reúne y cree que tiene contacto con seres no materiales. Es muy complejo su pensamiento.

—Debería llevarme a ese lugar —le dije fingiendo seguridad, aunque creo que el pavor tiene que haberse visto en mis ojos.

Estaba bien que le enviara esas señales contradictorias,

porque si sospechara de él, no quisiera acompañarlo a ver ningún lugar. Más bien, lo intentaría convencer de que volviéramos a la carretera. Tomé la decisión que, aunque arriesgada, me pareció la mejor, y lo fue. Noté que los músculos de su cara y su cuello perdieron rigidez, pareció haber descansado, pero luego otra vez se puso tenso, y la comisura de sus labios temblaba.

—Me gustaría comprender a Jeremy en profundidad. Verá, es que no me parece un cruel asesino. En este trabajo uno ve muchas cosas —mentí—, y en este caso no hay intención de torturar a las víctimas, acaba con ellas con un golpe perfecto, limpio, casi bondadoso. —No sabía de dónde estaba sacando tantas argumentaciones, pero no paraba de hablarle —. Yo creo que él es un hombre convencido de lo que hace, tanto así que lo escribe sin reparos —dije con intención de distraerlo.

Supe que eso lo confundía y que su primer impulso era aclararme que Jeremy se había tomado el atrevimiento de escribir en primera persona, como si fuera él, pero que él lo habría hecho mejor. Supe que no estaban aliados y comencé a ver las cosas desde otra perspectiva. Tal vez Jeremy conociera el secreto de Lucien, pero lo usaba para su provecho. Quizá Lucien sabía que Jeremy lo había descubierto y le parecía buena idea, por si se le hacía necesario, culparlo, y por eso nos había dicho que fuéramos a su casa. Pretendía usarlo como posible culpable, sobre todo si sabía que lo escribía sobre un papel, en primera persona, y que Nora podía atestiguar que ese era su letra. Recordé que algunas veces los trabajos de campo incluyen un diario que el investigador escribe en primera persona como si fuera el sujeto observado. Y me pareció muy posible que lo que Jeremy había escrito fuera lo que suponía que pensaba su sujeto de investigación; es decir, su amigo Lucien. Me parecía que Archer era capaz de eso, de saber que su amigo de la infancia era un asesino y no decir nada si eso lo ponía en primera fila para la comprensión de un criminal. Y la investigación sobre la Comunidad de Estudio Extraterrestre sería un ardid, y lo que realmente estaba investigando era a su amigo. No todos contamos con asesinos entre nuestros amigos, y eso a Jeremy Archer debía parecerle valioso.

El hecho era que a Lucien During los escritos de Jeremy terminaron molestándolo, y yo no sabía si era buena idea molestarlo. Podía padecer una explosión de ira, podía matarme.

—Vamos a ese lugar, si es lo que quieres —me dijo.

No era lo que quería, pero no tenía escapatoria. Tenía la sensación de que si algo era capaz de descifrar con intuición Lucien During era cuando alguien dudaba de él. Creo que ya para entonces lo veía como un hombre inseguro que tenía que disfrazarse de bondad para disimular su miseria. No era un buen momento para confrontarlo.

Caminamos unos minutos en silencio. Deseaba con unas ganas locas que nos encontráramos a Hans, o al menos a Nora, a alguien. Él se mantuvo callado, luego comenzó a silbar, creo que una de las canciones del concierto. Pregunté si faltaba mucho. Me respondió que la mitad del tiempo ya había transcurrido. Nos adentramos en un sendero más pequeño que al principio parecía inexistente. Podría decirse que era una entrada oculta, entre los árboles y las ramas. Él debió de notar mi sorpresa porque me dijo que era el camino preferido de Jeremy. Le respondí que era muy inteligente. Él sonrió. No sabía cuánto duraría ese juego; el de que él transfiriera a Jeremy lo que era él mismo. Nunca me había enfrentado a una transferencia psicológica tan macabra.

Cuando comenzamos a cruzar ese sendero estrecho y oculto, también comencé a perder las esperanzas de que alguien me encontrara. Lucien continuaba cargando el madero con la mano izquierda. Parecía una prótesis del brazo, la continuación de su miembro para hacerme daño. Algo me decía que no se confiaba de mí y que en cualquier momento me atacaría. Tenía que huir. Me mantuve mirando hacia el frente y con el rabillo del ojo percibía su figura justo a mi lado, casi rozándome. Lo último que quería era escuchar el roce de la madera con el viento. Ese es de los peores sonidos que alguien puede escuchar, ese desplazamiento del arma con la cual te golpean.

Tuve que arriesgarme; tenía que ser ese momento o tal vez después sería tarde para mí. Aunque sentí vértigo y un aire frío en el estómago como si tuviese trozos de hielo adentro, le hice una zancadilla y, cuando cayó, eché a correr lo más veloz que pude. Tenía la confianza de que podría dejarlo atrás.

Corrí, no estoy segura en qué dirección, ni si me estaba alejando de la posibilidad de encontrarme a alguien. Casi me caigo una, dos, cinco veces, pero lograba estabilizarme y continuar la carrera. No podía voltear porque perdería velocidad y, además, me generaba terror hacerlo y darme cuenta de que se aproximaba. Solo pensaba en correr más y más, pero escuchaba pasos cerca, detrás, me estaba alcanzando y no quería volver a sentir la oscuridad en mi cabeza, otro golpe, ni que me cortara el cuello. Intenté no pensar en nada, solo correr entre los árboles, pero volví a caer.

17

LUCIEN DURING ME ALCANZÓ. Me agarró con fuerza la cabeza y luego dio un violento tirón a mi pelo, hacia abajo. Sentí un fuerte dolor en la parte trasera del cuello. Él estaba de rodillas y yo estaba tumbada, sometida por su fuerza. Estaba segura de que iba a cortarme la cabeza.

Cuando me preparaba para un nuevo golpe, escuché un disparo.

—¡Lucien! ¡Todo ha acabado! —gritó Hans Freeman.

Sentí que me soltó y miré hacia arriba. Vi a Lucien During voltear hacia donde provenía la voz. Ya no tenía la madera ensangrentada; vi su pelo, sus hombros, su espalda. También lo miré cuando flexionó el codo y sacó algo del bolsillo. Algo que brillaba.

—¡Lucien! —gritó Hans otra vez—. ¡Para ya!

—¿Quieres que pare? No eres quien para pedirme que pare, si la investigación que has llevado a cabo no ha servido para nada. Ellos siguen aquí, haciendo lo que quieren con las mentes de las personas, y esto es solo el comienzo. Ustedes no tienen idea de nada —dijo alejándose de mí, dando unos pasos hacia atrás.

Cuando lo hizo, me levanté como pude y corrí varios metros de distancia.

—Ustedes no han leído las barbaridades que les hicieron a esos pobres chicos. Y todo lo medían, lo estudiaban. Y a ti, Hans Freeman, te creía parte de la solución, pensé al verte llegar y alquilar esa cabaña que podrías atraparlos y que me comprenderías. Te he vigilado, he sentido tu obsesión por cumplir, por hacerlo bien. No duermes, como yo tampoco lo hago. Tienes esencia y moral. Yo también la tengo. Y creí que jugarías un papel importante en esta cruzada de la cual soy responsable. Y no lo soy porque lo busqué. Lo soy porque Él lo quiso. Él, Dios de libertad, que me habla desde este bosque y que está complacido porque ya Leonard, Daniel, Evan y Emma son libres. Pensé que, siendo del FBI, podrías entender lo que significa que a alguien le laven el cerebro, lo inutilicen. He leído tus escritos, tu manual. Todo lo haces por las víctimas. Por eso me llené de alegría cuando viniste a Green Bank. Pero te has perdido en el camino.

—No sabes cuándo parar, Lucien. ¿Qué hizo el chico? ¿Quién le había hecho algún mal al chico? ¿Por qué tuviste que matarlo si no había formado parte de los experimentos de los Beresford? Lo hiciste porque estás descontrolado, pero puedo ayudarte… —le dijo Hans, gritándole, sin acercarse.

—¡No me he equivocado! ¡Eso era lo que había que hacer! Tú también lo hubieses hecho si tuvieses mi responsabilidad. Ustedes fueron los que cometieron errores. Les di las pruebas para culpar a los Beresford, les dije lo que había dicho Grace. Los conduje como pude. Y culpar a Jeremy también era necesario porque yo tenía que continuar la misión. Ya mi amigo Jeremy no es el mismo, ha perdido su espíritu, su verdad. Lo único que le interesa es la fama y escribir algo único. Lo he visto deteriorarse, he estado allí cuando su alma se ha ido pudriendo.

—Déjalo ya, Lucien —insistía Hans.

—Este no es el final. Esto apenas comienza —dijo During y me buscó con la mirada.

Pensé que iba a perseguirme, pero Hans le apuntaba. Si lo hacía, le dispararía.

Solo me miró con ojos llenos de indignación.

—Eres solo un eslabón. No era importante tu muerte, pero ahora Dios me la ha pedido —me dijo y luego volvió a gritar a Hans—. Te he espiado desde los árboles. Nadie los conoce como yo. Dejé el signo de los Beresford, ese triángulo que está maldito en tu cabaña. Ataqué a Julia para que prestaras la debida atención. ¡Era urgente! Es lo que nadie entiende. Salvar esta tierra es urgente. Yo lo sé. Lo he sabido desde que vine acá y vi por primera vez las señales en el bosque. El tiempo se ha acabado para mí, en esta dimensión espacial, porque ustedes lo han complicado todo. Pero un guerrero no deja de luchar, aunque se sepa vencido. Primero es bienvenida la muerte antes que la derrota. Me quedaré en el bosque, Hans Freeman. Seguiré aquí en espíritu y volaré libre a las montañas; y seguiré subiendo a los árboles y vigilándote. Creo que sufres por algo, tienes una pena adentro. Esto apenas comienza...

Cuando terminó de hablar, vi que lo que tenía era un bisturí. Su mano sangraba. Movió los brazos hacia arriba y gritó muy fuerte. Vino hacía mí, quería matarme.

Hans le disparó. Cayó de rodillas con un golpe seco, como cuando un árbol se desploma. Vi como la sangre brotaba de su cabeza y caía en todos lados, como si fuese una fuente.

«Esto apenas comienza», me repetí a mí misma unas horas después, cuando volvía a la habitación del hotel.

18

La mujer cruzó la puerta, la cerró y pasó el seguro. Dejó las llaves sobre el plato verde, junto al perro de porcelana. El sonido fue agudo. Se miró al espejo y sonrió. Se quitó la chaqueta y la puso en el perchero. Amansó unas hebras de pelo rebeldes y dijo en voz alta que se moría por verle la cara a Julia Stein, a quien odiaba de una manera avasallante pero silenciosa.

Caminó hasta el salón y luego a la cocina. Sacó unos guantes negros de una gaveta, bajo el lavaplatos, y se los calzó. Se dirigió a un refrigerador de gran tamaño que había en un cuarto, junto a la cocina. Abrió la puerta de este y sacó una bolsa plástica que contenía la cabeza de Elvin Bau, su hermano.

Ni siquiera se detuvo a mirarla. Ya lo había hecho hasta el cansancio. Cuando él murió de hambre y sed en el granero deshabitado, ella lo había decapitado. Elvin, para ese entonces, solo tenía el tronco. Ya no tenía miembros inferiores ni superiores, ni lengua. Ella pensó, cuando lo encontró muerto y lo cargó, que lo que más pesa del cuerpo humano son las piernas. No podía creer que eso fuera de esa manera, pero tuvo que admitirlo porque le fue muy fácil manipularlo. Desde el principio había querido conservar el cuerpo de Elvin —o lo que quedaba de él— en buen estado, y para ello compró el refrigerador y alquiló aquella casa. Sería «la casa para Elvin», se había dicho entre carcajadas.

Con la cabeza cargada en la mano izquierda, caminó hasta la mesa de la cocina. Allí la puso. Recordó cuando con una sierra idéntica a la que Frank había comprado para amputar los miembros de las mujeres que asesinó, cortó la cabeza de Elvin, el día anterior, porque ya sabía dónde estaba Julia Stein y lo que hacía. Se hizo pasar por Madeleine, su cuñada, y había llamado y engañado a Madison, la excompañera de trabajo de Julia, en Wichita. Con el cuento de que estaban muy preocupados por la salud de la madre de Julia, le había sacado la información sobre su paradero sin dificultad. La buena de Madison era maravillosa pero tonta. Fue cuando ella ideó el primer acto de su venganza: hacerle llegar a Julia Stein la cabeza de Elvin Bau, en homenaje a la nueva vida que Julia había emprendido como investigadora criminal del FBI.

Margaret sonreía y se decía que el asesinato de su hermano la uniría a Frank de forma inquebrantable y que nadie podría superar ese maravilloso vínculo, y mucho menos Julia, a quien Frank creía amar. Era ella, Margaret, quien le convenía y haría lo que fuera para demostrárselo en el futuro, sin escrúpulos ni medida. Adoraba a Frank porque era la única persona por la que había podido sentir algo.

Días después del encarcelamiento de Frank le dijo a su madre que se tomaría unos días para viajar, y se había ido a Arbovale. Había comprado una peluca y unas grandes gafas de sol Versace, y se hospedó en el hotel donde descubrió que estaba Julia. La vigilaba de cerca.

Fue a la habitación de la casa y tomó una caja envuelta en papel de regalo azul y un gran lazo dorado. La llevó a la cocina y la abrió. Adentro había una cama de tiritas de papel de seda de color plateado. Tomó la cabeza de Elvin, abrió la bolsa plástica, que sintió húmeda y helada a través de los guantes, sacó la cabeza y la puso dentro de la caja. Luego la cerró. Estaba satisfecha.

Casi lo olvidaba; tenía que escribir un wasap a Dorothea, su madre, desde el celular que había comprado para hacerle creer que Elvin continuaba con vida. Sería un mensaje corto: solo un Feliz Navidad, para que la parquedad le doliera. Pero más le dolería saber que su hijo realmente estaba muerto. No podía esperar a ver su cara cuando se lo dijeran. Y nadie podría sospechar de ella, porque lo había planificado bien.

Ahora tenía que concentrarse en los próximos pasos. Se moría de ganas de volver a ver a Julia. Porque sentía que el odio efervescente que guardaba por ella, por lo que le había hecho a Frank, la consumía.

No era suficiente lo que había acordado con Frank sobre enviarle aquel mensaje a Julia a través de su amiga Madison. El relativo a que él sabía lo que había pasado con la muerte de Richard. Eso era genial porque envenenaría a Julia de miedos en cuanto a su nuevo trabajo: el FBI no sabía que ella era una asesina y que había matado a su propio hermano.

Disfrutaba mucho pensando en el desconcierto que debió haber padecido Julia cuando Madison le transmitió el mensaje de Frank. «¿Cómo lo sabe? No puede saberlo...» eran las palabras de Julia que imaginaba Margaret Bau.

Recordó cuando hablaba con Frank, en una de sus visitas a la Penitenciaría de Pocahontas.

—La muy inepta ni siquiera debe sospechar que sabes eso desde hace mucho. Es una ironía que la propia mamá de Julia en persona te lo dijera —le dijo Margaret Bau a Frank Gunn, al enterarse del secreto sobre la muerte de Richard Stein.

—Fue una tarde de aquellas en las cuales me ofrecía café y pastel. Me lo confesó, sin quererlo. Siempre sospeché que hubo algo raro con la muerte de Richard y magistralmente le puse una trampa a la buena de Maggie para descubrir ese secreto que luego podría serme útil, si Julia me dejaba. Le hablé de una novela que estaba leyendo con un argumento interesante; una mujer había asesinado a otra en su propia casa, empujándola por las escaleras y había burlado a la justicia haciéndolo parecer un accidente.

Solo me bastó —continuaba Frank diciendo a Margaret— mirar el rostro de la madre de Julia para confirmarlo. Mi Julia también era una asesina...

Una virulenta punzada de dolor atravesaba el costado de Margaret cada vez que Frank se refería a Julia como «mi Julia».

Ahora, consumida por el plan de venganza que había ideado, una gélida voz interna la hacía sonreír. Ella iba a acabar con «su querida Julia».

19

La puerta del ascensor se abrió, salí y caminé hacia la habitación. Venía de sostener una reunión con Hans en el comedor del hotel. Dejaríamos el lugar en breve y partiríamos hacia Washington. La prensa había explotado con la noticia del asesino de Green Bank. Desde algunos titulares del tipo «Sacerdote homicida se creía Dios y quería purificar el bosque» a otros menos sensacionalistas que dejaban entrever la participación de los Beresford en el rapto y cautiverio de las víctimas de Lucien During. Tanto Hans como yo habíamos leído todas las noticias, y ambos sentíamos que el pueblo de Green Bank nos veía con desagrado, como enemigos. Habíamos hablado sobre eso porque a mí me resultaba increíble. Tal parecía que hubiesen preferido que Laurie Bloom fuera la asesina, porque nadie la quería, y que los secretos de los Beresford nunca hubiesen salido a la luz. Que preferían las mentiras convenientes porque Katty Beresford y Stephen Millhauser los habían convencido de que ellos seguían siendo los dueños del lugar y que mejor harían si lo aceptaban. Y todos estaban dispuestos a hacer algo por ellos; como Caroline, Ferguson, Eames o Wilkinson. Pero gracias a los crímenes de Lucien During se abriría una investigación a Katty y su esposo. Costaría, pero estábamos seguros de que íbamos a presenciar la caída de los Beresford porque ya era hora de que se enfrentaran a la justicia.

Lo que seguía dándome qué pensar era la influencia que la gente como los Beresford ejercía, y me preguntaba cuántas personas reconocidas y respetables andaban por allí escondiendo secretos espantosos como lo había sabido hacer Winston Beresford y luego su hija. Pero me alegraba porque, en este caso, los íbamos a atrapar, y el pueblo de Green Bank por fin se libraría de ellos, de los dueños del bosque… Quiero pensar que las muertes de las pobres víctimas de During caerán como un verdugo sobre esa familia.

Vino a mi mente la imagen de esa pobre chica; Emma, que ahora me inspiraba una mezcla de ternura y pena. También recordé a Grace, tal como la vi cuando la conocí. Esperaba que se liberara de su madre y de Ferguson. Aquella escultura en la casa de Grace… ¿por qué tendría esa rotura? No creía haberla imaginado. Esa pieza no encajaba y no me gustaba que quedase algo por explicar. Cuando pensaba en eso, la vi. Una caja envuelta en papel de regalo frente a la habitación que ocupaba.

Me detuve. Dos niñas pasaban por el pasillo y miraron la caja. Una mujer muy parecida a una de las niñas, a la que llevaba en la cabeza un lazo rojo y verde, les pidió que continuaran caminando. Las niñas obedecieron y me miraron con ojos brillantes, divertidas. Parecía que sabían que el regalo era para mí.

Levanté la mano para llamar la atención de la madre y sus hijas. Quería que se alejaran de la caja.

—FBI. Sepárense de allí. Rápido y con cuidado. No tropiecen con la caja.

La madre gritó.

—¿Por qué? ¿Pasa algo?

—Aléjense con calma. Caminen lo más lejos que puedan de la caja —ordené.

—¡Anne! ¡Kristy! ¡Vengan conmigo! Hagan lo que ella dice.

Vi a una camarera salir de uno de los cuartos.

—Soy del FBI. Busca al encargado de la seguridad del hotel. ¿Cuántas habitaciones en este momento cuentan con personas dentro de ellas?

La camarera se quedó paralizada y luego pudo articular una palabra: tres.

—¿Cuáles? —pregunté.

—La 315, la 323 y la 319.

—Busca al jefe de seguridad de inmediato —repetí.

Cuando la madre y las niñas llegaron al ascensor, llamé a Hans por el celular.

—Tienes que subir al piso tres. Aquí han dejado algo... una caja de regalo frente a la puerta de mi habitación. Nadie sabe que estoy aquí y nadie me dejaría algo de esa forma, por lo tanto, me temo que no es nada bueno —dije con voz grave, y las últimas palabras de Lucien During antes de morir cayeron sobre mí.

—No te acerques. Llamaré a Explosivos. Voy en seguida —respondió Hans.

Y luego escuché que se preguntaba en voz baja, antes de cortar la comunicación:

—¿Pero quién querría hacerle daño a Julia Stein...?

FIN

Julia y Hans regresan para resolver un nuevo caso en la tercera novela de esta serie: *Traicionada*. Adquiérela aquí: https://geni.us/Traicionada

NOTAS DEL AUTOR

Espero hayas disfrutado la lectura de esta novela.

Si te gustó mi obra, por favor déjame una opinión en Amazon. Las críticas amables son buenas para los autores y los lectores... y un estudio reciente (realizado por mi persona) también indica que escribir una opinión positiva es bueno para el alma ;)

¿Sabías que ahora también puedes disfrutar de mis historias en audiolibros? Te invito a gozar de esta experiencia con mi relato *Los desaparecidos*. Escúchalo **gratis** aquí: https://soundcloud.com/raulgarbantes/losdesaparecidos

Puedes encontrar todas mis novelas en mi página web: www.raulgarbantes.com

Finalmente, si deseas contactarte conmigo puedes escribirme directamente a raul@raulgarbantes.com.

Mis mejores deseos,
Raúl Garbantes

amazon.com/author/raulgarbantes
goodreads.com/raulgarbantes
instagram.com/raulgarbantes
facebook.com/autorraulgarbantes
twitter.com/rgarbantes

Made in the USA
Coppell, TX
13 October 2021

63992712R00163